LC

£22.50

D1081756

WITHDRAWN

AN 1000 AN 2000
SUR LES TRACES DE NOS PEURS

Iconographie : Anne Soto
Maquette : Emmanuel Pesso

Cet ouvrage a été réalisé à partir d'une série d'entretiens menés par Michel Faure et François Clauss, publiés dans L'Express *et diffusés sur* Europe 1 *en mars 1994, et complétés par Fabienne Waks.*

ISBN : 2-909317-10-02

Dépôt légal : avril 1995

GEORGES DUBY

AN 1000 AN 2000
SUR LES TRACES DE NOS PEURS

textuel

Sommaire

Préface

À quoi bon écrire l'Histoire, si ce n'est pas
pour aider ses contemporains à garder
confiance en leur avenir et à aborder mieux
armés les difficultés qu'ils rencontrent
quotidiennement ? L'historien par conséquent
a le devoir de ne pas se renfermer sur le passé
et de réfléchir assidûment sur les problèmes
de son temps. Quand Michel Faure, pour
L'Express, et François Clauss, pour Europe 1,
m'ont demandé de dialoguer avec eux, j'ai jugé
utile de confronter mon expérience d'historien
à leur expérience de journalistes, ce que je sais
de l'an mil aux peurs de l'an 2000. Utile
et légitime. Les gens qui vivaient il y a huit ou
dix siècles n'étaient ni plus ni moins inquiets
que nous. Ce que ces hommes et ces femmes
croyaient, leurs sentiments, comment ils se
représentaient le monde, l'Histoire telle qu'on
l'écrit aujourd'hui s'efforce de le découvrir,
de pénétrer dans l'esprit d'une société pour
qui l'invisible était aussi présent, aussi digne
d'intérêt, détenait autant de puissance que
le visible. C'est en cela surtout qu'elle s'écarte
de la nôtre. Discerner les différences, mais aussi
les concordances entre ce qui lui faisait peur
et ce que nous redoutons peut nous permettre,
j'en suis sûr, d'affronter plus lucides les dangers
d'aujourd'hui.

Georges Duby

Peurs médiévales, peurs d'aujourd'hui, un parallèle légitime ?

Étudier et écrire l'Histoire pour découvrir la volonté divine : telle est l'ambition des gens d'Église,
comme ici le moine Ruodprehet. Les annales consignent les faits marquants et témoignent des inquiétudes
des hommes devant tout dérèglement de la nature.
Psautier d'Egber, évêque de Trèves. Cividale del Friuli, bibliothèque du musée archéologique national.

13

✠ Faire le parallèle entre le Moyen Âge et l'aube du IIIe millénaire pour traiter des peurs d'hier et d'aujourd'hui vous paraît-il être légitime ?

L es hommes et les femmes qui vivaient il y a mille ans sont nos ancêtres. Ils parlaient à peu près le même langage que nous et leurs conceptions du monde n'étaient pas si éloignées des nôtres. Il y a donc des analogies entre les deux époques, mais il y a aussi des différences, et ce sont elles qui nous apprennent beaucoup. Ce ne sont pas les similitudes qui vont nous frapper, ce sont les écarts qui nous amènent à nous poser des questions. Pourquoi, en quoi avons-nous changé ? Et en quoi le passé peut-il nous donner confiance ?

✠ Ressentez-vous aujourd'hui, au sein de la société, un sentiment de peur qui pourrait être rapproché d'un sentiment d'il y a mille ans ?

Notre société est inquiète. Le fait même qu'elle se tourne résolument vers sa mémoire en est une preuve. Les Français n'ont jamais autant commémoré. Toutes les semaines se fête ici et là l'anniversaire de quelque chose. Si on se raccroche comme cela à la mémoire des événements ou des grands hommes de notre histoire, c'est aussi pour reprendre confiance. C'est donc qu'une inquiétude, une angoisse, est tapie au fond de nous.

✠ *Pour comprendre les peurs de nos ancêtres, les éléments de connaissance sur le Moyen Âge sont-ils suffisants ?*

Cette période de notre histoire est lointaine et les informations sont rares. Il faut donc considérer le Moyen Âge dans son ensemble. Nous constatons que cette société a été emportée entre l'an mil et le XIIIe siècle par un progrès matériel fantastique, comparable à celui enclenché au XVIIIe siècle et qui se poursuit aujourd'hui. La production agricole s'est multipliée par cinq ou six et la population a triplé en deux siècles dans les pays qui constituent la France d'aujourd'hui. Ce monde changeait très vite. La circulation des hommes et des choses s'accélérait. Puis, on est entré au milieu du XIVe siècle dans une phase de quasi-stagnation qui a duré jusqu'au milieu du XVIIIe siècle. Ainsi, par exemple, aucun progrès notable n'intervient dans les transports entre le règne de Philippe Auguste et celui de Louis XVI, la durée du trajet de Marseille à Paris reste à peu près égale à cinq siècles d'intervalle.

Sur l'évolution des mentalités, nous voyons aussi assez clair. Dans cette période de forte croissance, comme actuellement, les fils ne pensaient pas comme les pères. Même si cette société très hiérarchisée cultivait de manière fondamentale le respect des anciens. Tenez : voilà une différence avec aujourd'hui.

Toutefois, on ne peut pas répondre à toutes les questions qu'on se pose sur le Moyen Âge. Pour comparer l'homme médiéval et l'homme d'aujourd'hui dans leurs craintes, il est nécessaire d'ouvrir un peu le champ afin de recueillir suffisamment d'indications, de faits.

Il faut aussi essayer d'oublier ce que nous pensons, et nous mettre dans la peau des hommes d'il y a huit ou dix siècles pour pénétrer dans la civilisation du Moyen Âge, tellement différente de la nôtre. Personne ne doutait alors qu'il y ait un autre monde, au-delà des choses visibles. S'imposait alors une évidence : les morts continuent à vivre dans cet autre monde. Mises à part les communautés juives, tout le monde était persuadé que Dieu s'est incarné. Toutes les cultures – j'emploie le pluriel car auprès de la culture des gens d'Église existaient aussi une culture guerrière, une culture paysanne – sont dominées par les mêmes angoisses à l'égard du monde. Elles partagent un sentiment général d'impuissance à dominer les forces de la nature. La colère divine pèse sur le monde et peut se manifester par tel ou tel fléau. Ce qui compte essentiellement, c'est s'assurer la grâce du Ciel. Ce qui explique le pouvoir extraordinaire de l'Église, des serviteurs de Dieu sur terre. Car l'État tel que nous le concevons aujourd'hui n'existait pas. Le droit de commander, de rendre justice, de protéger, d'exploiter le peuple se dispersait parmi quantité de petites cellules locales. Les chefs, ces hommes qui tenaient l'épée en main, l'épée de justice, se sentaient les représentants de Dieu, chargés du maintien de l'ordre que Dieu entend faire respecter sur terre.

✠ *La conscience de l'histoire existait-elle au Moyen Âge ? Essayait-on d'y trouver des leçons ?*

Bien sûr. Ce qui différencie le plus nettement la civilisation européenne des autres, c'est qu'elle est foncièrement historisante, elle se conçoit comme étant en marche. L'homme d'Occident a le sentiment qu'il progresse vers le futur et, par là, il est tout naturellement amené à regarder vers le passé. Le christianisme, qui a imprégné fondamentalement la société médiévale, est une religion de l'Histoire. Il proclame que le monde a été créé à un certain moment, puis qu'à une certaine date, Dieu s'est fait homme pour racheter l'humanité. Depuis, l'Histoire continue et c'est Dieu qui la dirige. Pour connaître les intentions divines, il faut donc étudier le déroulement des événements. C'est ce que pensaient les hommes de culture, les intellectuels de cette époque, c'est-à-dire les gens d'Église. Tout le savoir était entre leurs mains. Un monopole exorbitant.

Dans un grand nombre d'établissements religieux, monastères ou cathédrales, on a donc écrit l'histoire et sous plusieurs formes. Le plus souvent, on notait simplement les événements marquants en cours d'année : telle année, il s'est produit une tempête extraordinaire, les vendanges ont été tardives, le pape Untel est mort, une épidémie s'est répandue, le toit du dortoir s'est effondré… Ainsi prenaient forme ce qu'on appelle des annales. Mais parfois, on allait plus loin. L'un des moines ou des chanoines entreprenait de composer vraiment une histoire. Les événements du passé étaient repris et mis en ordre. De ce genre d'écrits vient une grande part de ce que nous connaissons de ce temps-là. Sans doute, nous le connaissons aussi par les apports de l'archéologie, par les traces de l'existence des hommes que l'on retrouve en fouillant la terre. Pourtant, si le Moyen Âge ne nous est pas étranger, c'est bien parce que des savants se sont employés à écrire l'histoire. Nous en savons beaucoup plus sur le XIe, le XIIIe siècle européen que sur l'histoire de l'Inde, par exemple, ou de l'Afrique. Parce qu'il n'y avait pas dans ces régions du monde la même volonté d'inscrire avec exactitude ce qui se passait de notable au fil des jours.

✠ *Que cherchaient dans le passé les hommes d'Église ? À saisir l'histoire des hommes ou bien les traces de Dieu ?*

Seuls les serviteurs de Dieu savaient écrire, lire, et ils considéraient comme leur devoir d'expliquer l'Histoire, de manière à y détecter des signes de Dieu. Ils étaient convaincus qu'il n'y a pas de cloisons étanches entre le monde réel et le monde surnaturel, qu'il existe toujours des passages entre les deux, et que Dieu se révèle dans ce qu'il a créé, dans la nature mais également dans la manière dont il a orienté la destinée de l'humanité. On trouvait donc dans l'examen des faits du passé des sortes d'admonestations divines.

✠ *Quels étaient les signes qui les alertaient et comment étaient-ils interprétés ?*

Tout ce qui apparaissait comme un dérèglement dans la nature était considéré comme un signe annonçant les tribulations qui devaient précéder la fin du monde. Je prends un exemple : tout le monde pensait que, selon la volonté divine, le cours des astres est régulier. L'apparition d'une comète, c'est-à-dire d'une irrégularité, suscitait l'inquiétude. Un des chroniqueurs de ce temps-là raconte qu'une année on vit dans le ciel des étoiles qui se battaient l'une contre l'autre. L'une était énorme et lançait des étincelles, l'autre, plus petite, lui tournait autour. Un autre évoque une baleine « grande comme une île » aperçue dans la Manche. Voir apparaître brusquement des animaux de dimensions anormales, des monstres, donnait à penser que quelque chose n'allait plus dans le monde, qu'il se détraquait. Par tous ces accidents, Dieu lançait des messages. Il appelait à se tenir prêt. Et il appartenait aux savants d'interpréter ces signes, d'en expliquer le sens.

Pour les moines de l'an mil, le monde a un âge que les textes de l'Écriture sainte permettent de calculer. L'Apocalypse annonce comment et quand le monde finira.
Beatus de Liebana,
Commentaire de l'Apocalypse
(manuscrit F 117/2E, f° 117 v°).
Soria, Burgo osmo Catedral.

✠ *L'approche du millénaire était-elle une source d'inquiétude ?*

Les terreurs de l'an mil sont une légende romantique. Les historiens du XIXᵉ siècle ont imaginé que l'approche du millénaire avait suscité une sorte de panique collective, que les gens mouraient de peur, qu'ils bradaient tout ce qu'ils possédaient. C'est faux. On n'a, en fait, qu'un seul témoignage. Un moine de l'abbaye de Saint-Benoît-sur-Loire écrit : « On m'a appris que, dans l'année 994, des prêtres dans Paris annonçaient la fin du monde. » Le moine dont je parle écrit quatre ou cinq ans plus tard, juste avant l'an mil. « Ce sont des fous, ajoute-t-il. Il n'y a qu'à ouvrir le texte sacré, la Bible, pour voir, Jésus l'a dit, qu'on ne saura jamais le jour ni l'heure. Prédire l'avenir, prétendre que cet événement terrifiant que tout le monde attend va se produire à tel moment, c'est aller contre la foi. »

Je suis certain qu'il existait à la fin du Iᵉʳ millénaire une attente permanente, inquiète, de la fin du monde, car l'Évangile annonce que le Christ reviendra un jour, que les morts ressusciteront et qu'il fera le tri entre les bons et les méchants. Tout le monde le croyait et attendait ce jour de colère qui provoquerait évidemment le tumulte et la destruction de toutes les choses visibles. Dans l'Apocalypse, on lisait que, lorsque mille ans se seraient écoulés, Satan serait libéré de ses chaînes, et viendrait alors l'Antéchrist. Et l'on verrait surgir du fond du monde, de ces endroits inconnus, perdus à

l'horizon, vers l'est ou vers le nord, des peuplades épouvantables. L'Apocalypse suscitait la
crainte, mais aussi l'espérance. Car, après les tribulations, s'ouvrirait une période de paix qui
précéderait le Jugement dernier, une ère moins
difficile à vivre que le quotidien. De cette
croyance se nourrissait ce qu'on appelle le mil-
lénarisme. Lorsque le voile se déchirerait, une
longue période allait s'ouvrir où les hommes
vivraient enfin heureux, dans la paix et l'égalité.
Je le répète, l'homme médiéval était dans un
état de faiblesse extrême face aux forces de la
nature, il vivait dans un dénuement matériel
comparable à celui des peuples les plus pauvres
d'Afrique noire aujourd'hui. La vie était rude et
douloureuse pour la plupart. Les gens avaient
donc l'espoir que, passé une période de troubles
terribles, l'humanité irait soit vers le paradis,
soit vers ce monde, délivré du mal, qui devait
s'instaurer après l'arrivée de l'Antéchrist.

la peur de *la misère*

24

En l'an mil, le dénuement
est général donc supportable.
Mais à partir du XIIᵉ siècle,
la misère frappe plus
sévèrement une bonne part
de la population.
La société médiévale, très
dure, est cependant
largement fraternelle.
Sienne, hôpital
Santa Maria della Scala,
salle des Pèlerins.
Fresque de
Domenico Di Bartolo, 1443.

*Le ventre noué par la crainte de manquer,
par la peur de la faim et du lendemain,
ainsi va l'homme de l'an mil, mal nourri,
peinant à tirer son pain du sol avec ses
outils dérisoires. Mais ce monde dur, de
dénuement, est un monde où la fraternité et
la solidarité garantissent la survie et une
redistribution des maigres richesses.
Partagée, la pauvreté est le lot commun.
Elle ne condamne pas, comme aujourd'hui,
à la solitude, celle du sans-domicile-fixe*

**Des sans-abris à Londres.
À quelques pas de la City,
les exclus de la croissance
n'attendent plus rien.
L'individualisme a eu raison
de la solidarité.**

recroquevillé sur un quai de métro ou
oublié sur un trottoir. La véritable misère
apparaît plus tard, au XIIe siècle,
brutalement, dans les faubourgs des villes où
s'entassent les déracinés. Venus des
campagnes pour profiter du puissant
mouvement de croissance qui bouleverse le
Moyen Âge, ils trouvent porte close. De
cette détresse naît un nouveau christianisme,
celui de François d'Assise, prédécesseur des
prêtres ouvriers et de l'abbé Pierre.

AN 1000, AN 2000, SUR LES TRACES DE NOS PEURS

✠ *Dans la France d'aujourd'hui, il existe une peur très vivace, celle de la misère. Qu'en était-il au Moyen Âge ?*

L'équipement des agriculteurs de l'an mil est dérisoire. Ils labourent avec des araires en bois durci au feu. Au XIe siècle l'usage du fer et de charrues comme celle-ci se répand et entraîne l'accroissement du rendement des terres. Manuscrit NAF 24541 (f° 172). Paris, Bibliothèque nationale.

La grande majorité des gens vivait dans ce qui serait pour nous une extrême pauvreté. Les découvertes archéologiques le montrent clairement. Sur les bords d'un lac, dans le Dauphiné, on a mis récemment au jour les fondations d'un ensemble de maisons qui ont été conservées en raison d'une remontée des eaux du lac. Beaucoup d'objets y ont été retrouvés. Une communauté de guerriers et d'agriculteurs vivait là aux alentours de l'an mil. On a sous les yeux les outils dont ils étaient munis et on se rend compte combien cet équipement était dérisoire. Par exemple, il y avait très peu d'outils en fer. Presque tout était en bois. Les paysans grattaient la terre avec des araires munis d'un soc en bois durci au feu comme en Afrique. Aussi, pour un grain qu'on avait semé, on était très heureux d'en récolter deux et demi. Le rendement de la terre était ridiculement faible. Il y avait une immense difficulté à tirer son pain du sol. Il faut se représenter ces hommes, ces femmes vêtus en grande partie de peaux de bêtes, pas beaucoup mieux nourris qu'à l'époque néolithique – je parle des gens du peuple, car cette société était strictement hiérarchisée. Les travailleurs étaient écrasés sous le poids d'un petit groupe d'exploiteurs, hommes de guerre et hommes d'Église, qui raflait à peu près tous les surplus. Le peuple vivait en permanence dans la crainte du lendemain. En revanche, on ne peut parler de

vraie misère car des relations de solidarité, de fraternité faisaient que le peu de richesse était redistribué. Cette solitude épouvantable du misérable que l'on voit de nos jours dans le métro n'existait pas.

✠ *Cette solidarité vous paraît-elle constituer une différence importante ?*

Fondamentale. Comme les sociétes africaines, les sociétés médiévales étaient des sociétés de solidarité. L'homme était inséré dans des groupes, le groupe familial, le groupe du village, la seigneurie, qui était un organisme d'exaction, mais aussi de sécurité sociale. Lorsque survenait une famine, le seigneur ouvrait ses greniers pour nourrir les pauvres. C'était son devoir et il en était persuadé. Ces mécanismes d'entraide ont évité à ces sociétés la misère terrible que nous connaissons aujourd'hui. Il y avait cette peur de la pénurie brusque, mais il n'y avait pas l'exclusion d'une partie de la société rejetée dans le désespoir.
On était très pauvre, mais ensemble. Les mécanismes de solidarité communs à toutes les sociétés traditionnelles jouaient pleinement leur rôle, comme aujourd'hui en Afrique noire. Les riches avaient le devoir de donner et le christianisme stimulait ce devoir d'aider les autres.

✠ *Ignorait-on la solitude dans la société médiévale ?*

Cette société était grégaire : les hommes vivaient en troupeaux. Quand on pénètre dans la vie privée de nos lointains ancêtres, on s'aperçoit qu'ils étaient constamment entourés : ils dormaient nombreux dans le même lit, il n'y avait pas de vrais murs à l'intérieur des maisons, juste des tentures. Ils ne sortaient jamais seuls ; on se méfiait de ceux qui le faisaient. C'étaient des fous ou des criminels. Vivre ainsi est pesant, mais aussi très sécurisant. Ces ermites qui s'en allaient au fond de la forêt pour expier leurs péchés étaient considérés comme des saints. Parce que s'isoler était un acte de courage tout à fait exceptionnel.

✠ Quelle était la réalité des famines, juste après le Ier millénaire ?

On conserve le récit d'une famine qui eut lieu en 1033, en Bourgogne, très célèbre parmi les historiens, car elle a été décrite et expliquée par un chroniqueur, un moine de la congrégation de Cluny. À l'origine, dit-il, il y eut des intempéries exceptionnelles, il avait tellement plu qu'on n'avait pas pu faire les semailles ni les labours. Si bien que la récolte avait été détestable. On avait gardé un peu de grain pour la semence, mais, l'année suivante, même chose. La pluie, la pluie, la pluie… Et la troisième année, plus rien. Alors, dit-il, ce fut épouvantable, on mangea n'importe quoi. Lorsqu'on eut mangé les herbes, les chardons, quand on eut fini de manger les oiseaux, les insectes, les serpents, alors, raconte-t-il, les gens se mirent à manger de la terre, et puis ils se mangèrent les uns les autres. On déterra les morts pour les manger. Je crois qu'il en rajoute. Enfin, sait-on jamais ? En tout cas, on voit jouer la solidarité. On vida les trésors des églises pour acheter le grain que des accapareurs gardaient chez eux et vendaient au prix fort, et l'on s'efforça de nourrir les plus malheureux. Cela n'a pas suffi. Le chroniqueur termine en affirmant – ce qui en dit long sur la conception du monde à l'époque – que la solution était de faire pénitence. Le Ciel envoyait ce fléau, il fallait apaiser la colère de Dieu et se prosterner devant lui, pleurer ses péchés. La peur permanente de la famine est à l'origine d'une sorte de sacralisation du pain, le don essentiel que Dieu fait aux hommes. « Donnez-nous chaque jour notre pain… » Cela a duré long-temps. Je me souviens de ma grand-mère qui faisait une croix sur le pain avant de l'entamer. On ramassait toutes les miettes sur la table. Il eût paru impensable, scandaleux de mettre le pain rassis à la poubelle ou de le lancer aux oiseaux. Au Moyen Âge, et aussi dans les campagnes, il y a cent ans, ces gestes auraient été vus comme un sacrilège, au sens propre du terme. Nous avons encore vécu pendant la dernière guerre cette peur de manquer de nourriture.

✠ *C'est cette même inquiétude qui reparaît aujourd'hui avec tous ces appels à la solidarité, chaque hiver, autour des gens qui n'ont pas de quoi manger, pas de quoi se loger…*

Les Restos du cœur, c'est cela. C'est effective-ment la prise de conscience qu'il y a des gens qui crèvent de faim et que, demain, on peut être dans leur état. C'est cette inquiétude qui rôde parmi nous en France aujourd'hui, cette angoisse devant le chômage qui conduit à se demander : « est-ce que moi-même, est-ce que mes enfants n'allons pas être demain des sans-domicile-fixe, nourris à la soupe populaire ? » Cette peur de manquer, elle tenaillait au ventre les hommes du XIᵉ siècle. Je pense qu'elle n'a cessé de les tenailler au cours des âges. Je crois pourtant qu'on avait beaucoup plus confiance dans les solidarités hier qu'aujourd'hui. Infiniment plus. Il y a toujours eu des égoïstes, des gens qui gardent les choses pour eux, c'est évident. Mais je pense que la confiance dans un geste naturel de solidarité, de partage, était ancrée dans l'esprit des hommes de ce temps. J'en suis persuadé.

✠ *Des révoltes de la misère ont-elles éclaté au Moyen Âge ?*

À ma connaissance, il n'y a pas eu de révoltes de la faim dans les campagnes. Il faut se rappeler que la France de l'an mil, puis de l'an 1200, celle de Philippe Auguste et de Saint Louis, était emportée par un mouvement de croissance matérielle extraordinaire. Les forgerons s'étaient répandus dans les villages au XIᵉ siècle, des socs de fer étaient partout forgés, le rendement des terres s'était ainsi accru considérablement. On mangeait de mieux en mieux dans les chaumières, quelquefois même du pain blanc. Et puis les hommes et les femmes avaient pris l'habitude de se vêtir de tissus. Le progrès, surtout, s'était traduit par l'urbanisation, la renaissance des villes, qui étaient devenues presque mortes dans la civilisation purement agraire, rurale du haut Moyen Âge. Et c'est dans les faubourgs des villes en croissance, au XIIᵉ siècle, que la misère est apparue. Brusquement. Comme une chose

intolérable. C'était la conséquence de la migra-
tion des paysans vers la ville. Dans les faubourgs
où arrivaient ces migrants déracinés, les solidarités primitives étaient détruites. Ils avaient
quitté leur famille pour aller chercher fortune
en ville, ils n'avaient plus autour d'eux les cou-
sins, la paroisse. Ils étaient seuls, pitoyables. Et le

spectacle de leur misère a provoqué le rapide développement des institutions hospitalières et charitables. On créa pour les héberger des hôtels-Dieu, comme celui de Paris. Des confréries, des associations de secours mutuels se formèrent, reconstituant un tissu de solidarité dans les quartiers nouveaux.

✠ *Cette misère a-t-elle entraîné un renouveau du christianisme ?*

C'est à ce moment-là, à la fin du XIIe siècle, qu'apparaît François d'Assise, cet homme qui incarne une transformation radicale du christianisme. François a voulu vivre pauvre avec les pauvres. Les nouveaux hommes de prière ne voulaient plus être juchés au sommet de la hiérarchie comme les prêtres et les moines l'étaient dans la civilisation agraire, simple et calme du XIe siècle. Il s'est produit une véritable refondation du christianisme devant les problèmes nouveaux créés par une sorte d'ébullition de la misère. Un historien italien disait que l'histoire du christianisme est dominée par deux figures, celle de Jésus et celle de François d'Assise. Ce dernier est comme un symbole, un grand témoin. C'est vrai que le christianisme après 1200 change radicalement. Avant, c'était pour la plupart des gens une affaire de rites, de cérémonies conduites par des hommes installés très confortablement, persuadés de dominer toute la société, et que les autres, les fidèles regardaient de loin chanter ensemble des prières et des

Le surcroît de la population des campagnes se répand dans les villes qui grandissent. Des logements se construisent, le plus souvent en bois, à l'exception des édifices de culte. Mais peu à peu, le maçon prend la place du charpentier. La fabrication des briques se fait sur le chantier par économie et par commodité. *Bible d'Utrecht* (ms Add. 38122, f° 78 v°). Londres, British Library.

36

Pages précedentes.
Au XIIe siècle, les villes ont vu affluer des foules de migrants sans attaches. Les institutions hospitalières et charitables se sont alors développées en Europe pour remplacer les solidarités initiales désormais détruites. Ici, les soins aux blessés donnés à l'hôpital Santa Maria della Scala à Sienne. Sienne, hôpital Santa Maria della Scala, salle des Pèlerins. Fresque de Domenico Di Bartolo, 1443.

Les maux frappent couramment les hommes et les calamités exceptionnelles sont, dans l'esprit chrétien, des épreuves envoyées par Dieu. La charité religieuse se doit de les soulager. Ici, des chanoines donnant du pain aux miséreux. Sienne, hôpital Santa Maria della Scala, salle des Pèlerins. Fresque de Domenico Di Bartolo, 1443.

hymnes. Après, des hommes de Dieu ont appelé à vivre selon l'Évangile. L'action de l'abbé Pierre, ou l'initiative des prêtres ouvriers dont on a un peu perdu la mémoire se situent dans le droit fil de celle de saint François. Ces hommes considéraient que, comme le Christ, ils devaient vivre avec les plus défavorisés et essayer d'éveiller l'esprit des nantis pour qu'ils suivent leur exemple et sortent de leur confortable bonne conscience. Les frères mendiants, les dominicains et les franciscains, ont agi ainsi, animés par la volonté de suivre l'exemple du Christ, d'être pauvres parmi les pauvres. Ils ne vivaient pas de leur rente comme les chanoines de la cathédrale, ils allaient mendier leur pain. Ou bien ils travaillaient pour le gagner. Ils ne possédaient rien et ne voulaient rien posséder. Au début, les franciscains et les dominicains étaient eux aussi des SDF. Lorsqu'on les a obligés à vivre dans des couvents, ils les ont bâtis en plein faubourgs, au plus près de la misère. Découvrir la misère, la vraie, a donc fait surgir des façons nouvelles de vivre sa religion.

Il me semble qu'aujourd'hui, devant la montée de la misère que les pouvoirs publics ne parviennent pas à contenir, un regain de solidarité apparaît. Malgré le fléchissement de la pratique religieuse, reste le sentiment qu'il faut aider son prochain, et ce sentiment, semble-t-il, est plus fort parmi les pauvres. Regardez l'Algérie d'aujourd'hui. Qu'est-ce qui explique le succès du

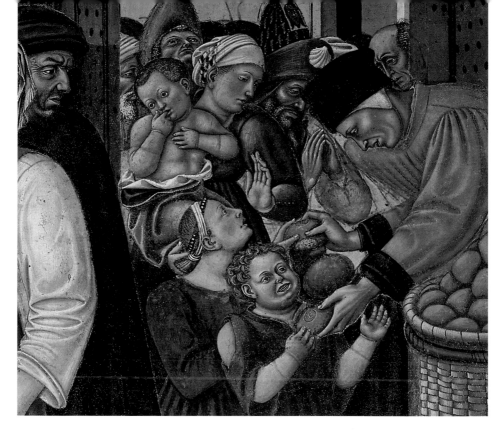

Front islamique du salut, le FIS ? Les militants islamistes, appliquant l'un des préceptes du Coran, ont reconstitué des réseaux de solidarité efficaces et remplissent une fonction d'aide sociale que l'État laïc n'arrive pas à assurer.

✠ *Ces frères mendiants constituaient-ils une menace, une contestation de l'ordre établi de la part de l'Église ?*

Ce sont les prémices de la Réforme qui apparaissent ici. Quand les premiers franciscains sont arrivés à Paris, vers 1230, les gens se sont demandés qui ils étaient et ce qu'ils faisaient. On les a confondus avec des hérétiques. D'ailleurs, leur manière de vivre dans la pauvreté en travaillant de leurs mains comme les premiers disciples du Christ mettaient en évidence les défauts de l'Église établie. Celle-ci se défendit, elle les embrigada et s'efforça de gommer l'aspect contestataire de François d'Assise. Mais le bon grain était semé, il fructifia.

✠ *À quoi ressemblaient ces premiers faubourgs où les frères mendiants œuvraient à soulager la misère ? D'où venaient les habitants ? Comment vivaient-ils ?*

Le faubourg ? Au commencement, c'est un ramassis d'abris très précaires, un bidonville, et de cela, après huit siècles, il ne reste rien. Les archéologues n'en trouvent pas les traces. L'historien doit donc imaginer, et il en a le droit. Il se représente la vie de ces gens comme celle des habitants des favelas de Rio. D'où venaient-ils ? Ils venaient de la campagne environnante, poussés hors de chez eux par la croissance démographique, qui a été le moteur essentiel du progrès fantastique que j'évoquais tout à l'heure. Une démographie comparable à celle des pays les plus prolifiques du tiers-monde aujourd'hui, avec des taux de mortalité infantile très élevés. Le quart des enfants mouraient avant cinq ans et un autre quart avant la puberté. Mais les naissances étaient si nombreuses qu'il y avait quand même croissance de la population, et les individus qui avaient traversé les périls de l'enfance et de la jeunesse étaient résistants. Depuis quelque temps, les historiens du Moyen Âge sont revenus sur l'idée que les hommes de cette époque mouraient tôt. En fouillant les cimetières, on a retrouvé des squelettes dont beaucoup sont ceux de vieillards.

Recroquevillée dans ses murailles
au haut Moyen Âge, la ville
déborde au XIIe siècle par l'afflux
des ruraux. Hors de l'enceinte,
bourgs et faubourgs s'étendent,
comme le montre la silhouette
de Moulins dans l'Allier,
à la seconde moitié du XVe.
Guillaume Revel,
Armorial d'Auvergne, *Moulins*
(Ms. français 22297).
Paris, Bibliothèque nationale.

Toutes les évaluations sur la population sont
extrêmement conjecturales. Ce que je peux dire
avec un peu d'assurance, c'est que la population
de la France s'est sans doute multipliée par trois
entre l'an mil et l'an 1300. En l'an 1300, l'espace recouvert par la France actuelle était sans
doute peuplé d'une vingtaine de millions d'habitants. C'était le pays le plus peuplé d'Europe.
L'Angleterre n'avait que trois millions d'habitants. Donc si les conjectures sont exactes, on
peut estimer qu'en l'an mil il y avait sept ou
huit millions d'habitants, pas plus.

Je pense que cette expansion démographique
peut être interprétée comme un signe d'opti-
misme. La population européenne s'est mise à
augmenter lentement à l'époque carolingienne,

et l'on se demande pourquoi. Il est très difficile d'interpréter les oscillations de la natalité, même aujourd'hui. On ne sait pas vraiment pourquoi il y a eu un boom des naissances en France dans les années cinquante de notre siècle. Je crois au rôle joué par l'évolution des structures familiales. Autour de l'an mil, l'Église a imposé, d'abord aux populations rurales, puis à l'aristocratie, la monogamie et l'exogamie, c'est-à-dire de n'avoir qu'une seule femme et de ne pas épouser sa cousine germaine. Ainsi s'est construit un cadre stable, le ménage, où les enfants ont été mieux élevés, mieux défendus.

Un cadre qui a duré presque un millénaire et qui se disloque sous nos yeux. L'Europe et la France ont vécu une transformation fondamentale depuis la fin du XIXe siècle, et surtout pendant le XXe siècle. Les relations de parenté, les vieilles structures matrimoniales, le mariage à l'ancienne, le mariage de mes parents, le mien, tout cela a été remis en question. Et en même temps, dans la seule civilisation occidentale, et pour la première fois depuis les origines de l'espèce, la femme a cessé d'être considérée comme un être inférieur et nécessairement soumis à l'homme. C'est une chose tout à fait nouvelle. La société médiévale était une société masculine. J'ai parlé des hommes qui ne sortaient presque jamais dans la rue tout seuls. Mais une femme, une femme seule à l'extérieur de sa maison, c'était ou une putain ou une folle.

Autour de l'an mil, l'Église impose sa conception du mariage monogame. La cellule familiale plus solide offre un cadre stable à l'éducation des enfants.
Sienne, hôpital
Santa Maria della Scala,
salle des Nourrices.
Fresque de Domenico di Bartolo, 1443.

✠ *La ville était-elle la seule destination possible pour les déracinés ?*

Les hommes et les femmes de plus de quinze ou vingt ans étaient trop nombreux sur l'exploitation familiale. Ils devaient partir à l'aventure. Il y avait deux sortes d'aventures possibles pour les paysans. La première était d'aller défricher des terres. La surface agricole s'est étendue de façon considérable. Les environs de Paris étaient couverts de forêts en l'an mil. La grande forêt des Yvelines allait du bois de Boulogne à Rambouillet. Elle a été petit à petit trouée, déchiquetée par les défricheurs, qui partaient avec ce qu'ils avaient d'outils. Le père donnait une vieille bêche, un de ces araires au soc de bois durci. Ils commençaient par abattre les arbres, ils extirpaient les racines, les brûlaient, et puis ils cultivaient des champs, ils construisaient leur propre maison. C'est ainsi que l'Europe s'est peuplée. Il y eut aussi des migrations à très longue distance. Des Flamands sont partis coloniser la Pologne, par exemple. Tout était organisé par des entrepreneurs qui recrutaient des travailleurs, les transportaient, après avoir obtenu des princes slaves la concession d'un terrain vierge, où se créait un nouveau village. L'autre aventure, c'était de partir vers la ville, où l'artisanat se développait en raison de la hausse générale du niveau de vie. On travaillait la laine, le bois, on fabriquait des draps de qualité de plus en plus belle, que l'on teignait. Des emplois se sont créés chez les tisserands, chez les teinturiers, chez les tanneurs, chez les charpentiers,

La population française s'est sans doute multipliée par trois entre l'an mil et l'an 1300.
La salle des Nourrices de l'hôpital de Sienne se remplit.
Sienne, hôpital
Santa Maria della Scala,
salle des Nourrices. Fresque de
Domenico di Bartolo, 1443.

chez les travailleurs du verre, chez les maçons. Mais il n'y avait pas de travail pour tout le monde. Les derniers venus arrivaient certains jours à se faire embaucher sur la grand-place, quand on avait besoin d'un manœuvre ou d'un débardeur. Sinon, c'était la misère. Et puis la vieillesse, la maladie.

✠ *Ces gens chassés de chez eux, peuvent-ils être considérés comme les premiers exclus ?*

On peut comparer leur situation à celle des paysans siciliens du début du XXᵉ siècle. Le père disait : il n'y a plus rien à manger à la maison, il faut aller en Amérique.

Cette société était beaucoup plus fluide que nous ne l'imaginons. Dans les familles nobles, par exemple, il était normal que les garçons, à sept ans, aillent faire leur apprentissage ailleurs. Ceux qui étaient destinés à devenir prêtres étaient envoyés dans les écoles monastiques et ceux qui devaient être chevaliers allaient apprendre à monter à cheval et à se battre chez le seigneur de leur père ou chez un oncle.

Mais l'exclusion ? Elle concerne, d'abord, les communautés juives, très importantes dans les villes en l'an mil et jusqu'au XIIᵉ siècle. C'est au début du XIIIᵉ siècle que l'on a imposé aux juifs le port d'un signe distinctif, comme sous l'Occupation. Là, l'exclusion était radicale. Et elle l'était aussi pour une autre catégorie d'hommes et de femmes, les lépreux, qui, comme les juifs, ont été cantonnés dans un sec-

La fabrication du verre pour les vitraux des cathédrales alors en construction nécessitait d'importantes quantités de sable et des fours puissants.
Les Voyages de Sir John Mandeville, « Souffleurs de verre en Bohème » (manuscrit 24189, f° 16), début XVᵉ siècle. Londres, British Library.

teur latéral de la société, isolés des autres, distingués par leur costume et par la crécelle qu'ils agitaient.

✠ *Aujourd'hui,*
on parle d'exclusions
envers les pauvres.
Ce rejet existait-il
au Moyen Âge ?

Le rejet du miséreux ou du migrant existe déjà, on ne peut pas le nier. En fait, il s'est manifesté au Moyen Âge, mais plus tard, au XIVe siècle. La guerre, la guerre de Cent Ans, avait fait affluer dans les villes les gens des campagnes harcelés, tourmentés par les militaires. Les riches ont eu peur, peur des pauvres. Ils étaient devenus trop nombreux, inquiétants. Le seuil de tolérance de la misère était dépassé. À ce moment-là, se produit un phénomène de rejet.

✠ *Les peurs d'hier*
semblent porter en germe
les progrès de demain…

Bien sûr. Prenez les famines. Elles viennent d'un déséquilibre entre la demande et la production de nourriture. Elles ont été interprétées par les chroniqueurs de l'époque comme des signes néfastes. Mais nous autres, historiens, nous les voyons comme les signes d'un progrès, comme les à-coups du développement, d'un développement fulgurant mais chaotique.

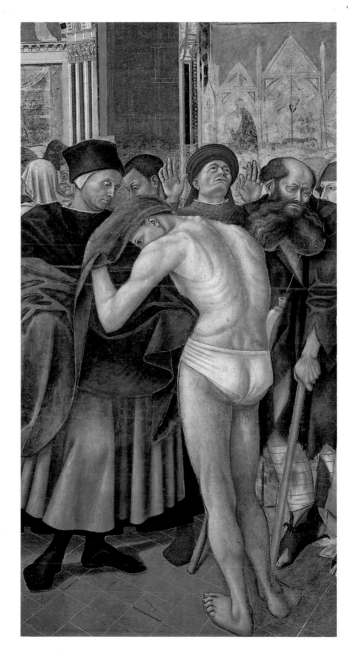

Un oblat prend l'habit pour
soigner les malades à l'hôpital.
De nombreux laïcs
s'agrégeaient ainsi à des
confréries religieuses, leur faisant
don de leurs biens et promettant
d'observer le règlement, mais
sans prononcer les vœux.
Sienne, hôpital
Santa Maria della Scala,
salle des Pèlerins.
Fresque de Domenico di Bartolo,
1443.

la peur de *l'autre*

Différent parce que nomade,
le peuple tsigane a sans
cesse subi le rejet des
sédentaires.
Panneau d'avertissement
destiné aux Tsiganes.
Bois peint, vers 1715.
Nördlingen (Bavière), musée.

Au temps de Saint Louis, les hordes surgissant de l'Est provoquent terreur et angoisse dans le monde chrétien. La peur de l'étranger étreint à nouveau les populations. Pourtant, l'Europe avait su digérer et intégrer les pillards normands. Ces invasions avaient estompé les frontières entre le monde païen et la chrétienté et stimulé la croissance économique. L'Europe, alors terre juvénile, en pleine

Les Tsiganes n'ont pas terminé leur longue marche. Ils sont parqués ou bien chassés de tous les points d'Europe.

expansion, s'est étendue aux quatre points cardinaux, se nourissant avec voracité des cultures extérieures. Une situation très différente d'aujourd'hui, où le Vieux Continent se barricade contre la misère du monde pour préserver ses richesses. Si l'homme médiéval craint par-dessus tout le païen, le musulman et le juif, des infidèles à convertir ou à détruire, il se méfie aussi de l'autre, son voisin de bourgade.

✠ *Cette peur contemporaine, celle de l'autre, de tous ceux qui sont massés à nos frontières… existait-elle en l'an mil ?*

Oui. C'était une réalité d'autant plus pressante que, peu de temps auparavant, l'Europe avait subi les invasions de peuplades pillardes : d'abord, les Vikings, qui venaient du Nord, ensuite, les Hongrois, qui arrivaient du fond de la steppe asiatique, et puis les Sarrasins. Le souvenir de ces invasions n'était pas perdu, et l'on redoutait de nouvelles attaques. En l'an mil, des pirates scandinaves débarquent encore et viennent enlever des princesses sur les bords de l'Atlantique, en Aquitaine. Le péril n'existe plus, mais on en garde la mémoire, donc l'inquiétude.

Vous savez, par ma grand-mère, qui le tenait de sa grand-mère, j'ai encore recueilli le souvenir des cosaques arrivant en France en 1815. Cependant, l'Europe a eu le privilège insigne, parmi toutes les autres portions de la planète, d'être épargnée, depuis l'an mil, par les invasions extérieures.

✠ *Comment vivait-on l'arrivée de ces hordes venues de l'étranger ?*

Le choc était brutal. Ce n'était pas du tout comme à la fin de l'Empire romain des migrations de peuples nomades qui voulaient s'intégrer à cette espèce de coopérative de bonheur qu'était l'Empire. Au Xe, au XIe siècle, il s'agissait de pillards farouches. Il en vint d'autres plus tard, au XIIIe siècle : les Mongols. Là, ce fut l'épouvante. Il y eut une grande inquiétude au temps de Saint Louis. La chrétienté allait-elle

PARIS IAIAB

Comme les Vikings et les Hongrois, les Sarrasins, c'est-à-dire les musulmans, installés depuis deux siècles en Espagne, ont envahi l'Europe carolingienne. Leurs premières expéditions sur les îles et les côtes de l'Italie datent de 806, 808 et 812. Ils gardèrent la Sicile jusqu'à la fin du XIIe siècle et restèrent menaçants dans le bassin méditerranéen.
Sarrasin à cheval combattant en Sicile. Fresque, fin XIIIe siècle. Pernes-les-Fontaines, tour Ferrande.

tenir le coup devant ces hordes asiatiques ? Cette invasion qui a déferlé sur la Russie a buté contre la Pologne et la Hongrie. Elle a été contenue mais a provoqué une frayeur intense parmi les Européens dans les années 1240, 1250. On savait qu'ils détruisaient tout sur leur passage, comme les Huns l'avaient fait, très longtemps auparavant, et comme les Hongrois, plus récemment, avant de s'intégrer à la chrétienté.

Les Normands, sous le commandement de Guillaume, naviguent sur des drakkars de Vikings à la conquête de l'Angleterre en 1066.
« Ici Harold naviga sur la mer. »
Tapisserie de la reine Mathilde, vers 1080.
Bayeux, musée de la Tapisserie.

✠ *Comment se déroulaient ces invasions ?*
Avec combien d'hommes, sur quelle étendue territoriale ?

Prenons le cas des Vikings. Ils arrivaient en barque, remontaient la Loire, la Seine, la Garonne, s'enfonçaient très loin dans le territoire. Une trentaine, une cinquantaine de garçons, tout au plus. Ce qui les intéressait, c'était le butin. Ils savaient que dans les monastères ils pourraient s'emparer de reliquaires, de châsses en métaux précieux, d'objets très tentants. Et puis, au passage, ils prenaient les femmes, le bétail. Mais durant la mauvaise saison, ces envahis-

seurs s'installaient à demeure, construisaient un camp à l'embouchure du fleuve, et là ils hivernaient. Leur camp devenait un marché. Les périodes d'agressivité et celles de tractations alternaient. Ces invasions ont ainsi provoqué l'extension des relations commerciales entre la Baltique et les pays de la mer du Nord. Les Normands apportaient des peaux, des fourrures précieuses, des esclaves sans doute aussi. Et les gens de France leur vendaient du vin.

✠ *Est-ce à dire que les invasions ont constitué, en quelque sorte, les prémices du développement du commerce européen ?*

Elles ont estompé les frontières entre le monde païen du Nord et la chrétienté. Elles ont également détruit ce qui était vermoulu dans les structures de la civilisation franque et ont mis en circulation l'or et l'argent des trésors de l'Église, ce qui a stimulé la croissance économique.

✠ *Il s'agissait donc d'un processus en deux phases, une phase agressive et une phase d'intégration…*

Oui. Les Normands voulaient participer pleinement à la civilisation du pays dans lequel ils s'installaient, mais sans cesser de rêver de pillages. De la Normandie, des hommes de guerre sont ensuite partis à la conquête de l'Italie du Sud et de la Sicile. Plus tard, ils ont conquis l'Angleterre. Ils ont rapporté de ces pays des richesses qui ont permis d'édifier ces chefs-d'œuvre de l'architecture romane que sont Saint-Étienne de Caen ou Saint-Georges-de-Boscherville. Cet esprit d'aventure a fortement contribué à unifier la civilisation européenne.

✠ *Quels ont été, en dehors du commerce, les vecteurs de l'intégration progressive des envahisseurs ?*

La première façon de s'intégrer, c'est de se faire chrétien. Ainsi, au début du Xe siècle, le chef normand Rollon accepte d'être baptisé. Il change de nom pour prendre celui de son parrain, Robert. Avec lui, tous les guerriers qui l'entourent se plongent dans les eaux du baptême. Vers l'an mil, le duc de Normandie appelle un homme qui savait bien écrire le latin, il s'était

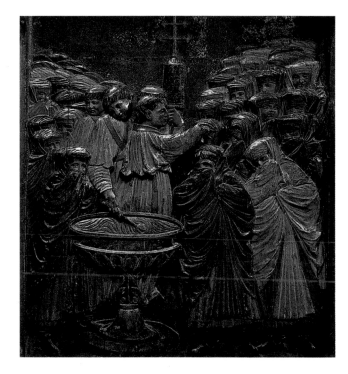

Seules réponses aux infidèles :
la conversion ou la destruction.
Baptême forcé des femmes
musulmanes après la prise de
Grenade qui resta le dernier
bastion de la domination arabe en
Espagne jusqu'en 1492.
Retable orné de sculptures par
Philippe de Bourgogne. Grenade,
chapelle royale de la cathédrale.

formé aux meilleures écoles – le porteur de la
culture carolingienne la plus pure. Il lui com-
mande une histoire des Normands. On y voit
comment s'est opérée l'intégration, au moins
chez les aristocrates. Ils ont conclu avec les familles des pays francs des mariages qui ont été,
avec le christianisme, le facteur essentiel de l'ef-
facement des disparités ethniques et culturelles.
On devenait vraiment participant de la communauté du peuple de Dieu dès que l'on com-
mençait à comprendre quelques bribes de latin
et qu'on se mettait à bâtir des églises dans la tra-
dition carolingienne.

✠ *Pour ces peuples, qui arrivaient de loin, l'adhésion au christianisme était-elle une transgression difficile ou bien un acte politique ?*

Il faut bien voir ce qu'était le christianisme en l'an mil. C'était une affaire de gestes rituels, de cérémonies.

Le baptême de Rollon est très nettement un acte politique, comme demander aujourd'hui la nationalité française. Il s'agissait d'une formalité, et l'on peut penser que, dans le fond de son cœur, Rollon a toujours vénéré les dieux du panthéon scandinave. Il leur a ajouté une autre divinité qui pouvait lui être utile.

✠ *Paradoxalement, les invasions de l'an mil ont constitué un facteur de progrès…*

Je pense que les dernières invasions subies par l'Europe ont donné le coup de fouet accélérant l'extraordinaire première croissance européenne qui s'est développée sur trois siècles. Parce que, effectivement, briser les cloisons, même violemment, est plus productif que le recroquevillement sur soi-même.

✠ *Garde-t-on des témoignages de la peur que suscitait alors l'étranger ?*

Les chroniqueurs, lorsqu'ils parlent des hommes du Nord, relatent l'effroi qui avait saisi toute la population. Mais sans doute ont-ils noirci l'image des Normands. Ces derniers dévastaient les monastères où se trouvaient les richesses. Les moines ont donc donné des Vikings une image terrifiante… Les Normands, les Hongrois, les Sarrasins sont apparus comme des fléaux. Sous ce nom de Sarrasins, on rassemblait tous ceux qui étaient musulmans. Ils venaient du Sud, du

**Sur le portail de l'abbaye de Vézelay sont représentés les peuples du bout du monde, ceux en particulier dont la chrétienté redoutait l'invasion.
Vézelay, basilique Sainte-Madeleine. Détail du portail latéral droit, scène de l'adoration des Mages, XIIᵉ siècle.**

Maghreb, mais surtout de l'Espagne, qui avait été conquise par les musulmans, et des îles – les Baléares, la Sicile. Au Xᵉ siècle, pour mieux piller les Alpes, ils avaient installé un poste fixe près de Saint-Tropez. Étaient-ce des Berbères, des Corses ou des Sardes ? Ce qui les identifiait,

Avec les pélerinages de Rome et de Jérusalem, celui de Saint-Jacques-de-Compostelle a déplacé des foules pendant tout le Moyen Âge. Selon la légende, Charlemagne lui-même serait parti d'Aix-la-Chapelle pour Compostelle.
Codex Calixtinus, xiie siècle (manuscrit, f° 162 v°).
Santiago de Compostelle, archives de la cathédrale.

✠ *Existait-il des types physiques très déterminés à cette époque ?*

aux yeux des chrétiens, c'est qu'ils refusaient de s'incliner devant la croix. Les Français de l'époque voyaient arriver des gens dont les façons de vivre, de se nourrir, de se loger étaient absolument différentes des leurs, parlant un langage que personne ne comprenait. L'étrangeté et le danger, c'est ça qui les terrifiait. Plus tard, ce sont les Mongols, les Turcs qui ont terrorisé l'Europe. L'étranger lointain, c'est l'envahisseur absolu, il fait plus peur que le voisin qui agresse. Je me souviens de la terreur qu'inspiraient pendant l'Occupation les soldats tatars recrutés par les Allemands. Les hordes jaillissant de l'Est, des multitudes prêtes à déferler, voilà la crainte, vivace, permanente.

Des grands blonds et des petits bruns ? C'est très difficile à dire. L'art de ce temps n'est pas figuratif. Les premiers portraits apparaissent au xive siècle. Auparavant, quand un peintre représentait un visage, il se référait à un modèle, mais ne reproduisait pas les traits du personnage. Dans les textes, les descriptions physiques des hommes et des femmes sont stéréotypées. J'aimerais bien, moi, savoir l'allure qu'avait Aliénor d'Aquitaine. Je ne le saurai jamais – il n'y en a pas de représentation fidèle. La statue funéraire qui est à Fontevraud n'est pas réaliste. Il y avait certainement des différences physiques entre les hommes, mais nous ne pouvons les définir.

✠ *L'étranger était-il le seul à inspirer la peur ?*

La méfiance à l'égard de l'autre existait aussi à l'intérieur de l'espace français. Un chroniqueur bourguignon raconte le passage, à travers son pays, d'une troupe de gens qui venaient d'Aquitaine, des Occitans. Il faut voir comme il en parle : « Qu'est-ce que c'est que ces gars-là ? Ce sont des pitres, avec leurs tuniques trop courtes, des pédérastes ! » Voyez aussi la projection sur l'étranger de ce qui est le péché. On

Pour les moines de l'an mil, les premières agitations de l'hérésie s'apparentent aux tumultes du cosmos annonciateurs de la fin des temps. Et le royaume de Dieu ne régnera sur terre que lorsque toute l'humanité – juifs, musulmans et païens – sera convertie. Hérétiques et juifs refusant d'écouter la parole de Dieu. Raban Maur, *De Universo*, 1023. Montecassino, archives de l'abbaye.

conserve aussi une sorte de guide touristique écrit à l'usage des pèlerins de Compostelle, au XIIe siècle. Il conseille : passez par telle route, surtout ne manquez pas d'aller visiter tel sanctuaire, où reposent des reliques guérisseuses, mais, quand vous aurez dépassé Bordeaux, vous allez tomber dans un pays, le Pays basque, où les gens ne parlent plus comme des humains, ils aboient comme des chiens. Le sentiment d'étrangeté apparaît donc dès qu'on franchit les limites de son petit pays. Cependant, l'étranger absolu existe aussi. C'est celui qui n'appartient

pas à la communauté chrétienne – le païen, le juif, le musulman. Ces étrangers-là, ces infidèles, il faut les convertir ou bien les détruire. Car le royaume de Dieu doit régner sur la terre, et il ne régnera que lorsque toute l'humanité sera convertie au christianisme. C'est ce que disait Saint Louis, ce modèle de sainteté. Quand on lui demandait : « Ne pourrait-on pas discuter avec les musulmans, avec les juifs ? » il répondait : « Avec ces gens-là, il n'y a qu'un argument : l'épée. Il faut la leur enfoncer dans le ventre ! »

✠ *Est-ce à cette époque qu'apparaissent les premiers ghettos juifs ?*

Les juifs vivaient entre eux dans certains quartiers. Au XIIIᵉ siècle, obligation leur a été faite de se distinguer des autres par leurs vêtements, par un insigne qui leur fut imposé. Mais l'histoire de l'antisémitisme, qui est en train de se faire, est complexe. Pendant longtemps, il y a eu coexistence sans agressivité trop vive. Celle-ci s'est manifestée, avec expulsions et pogroms, à partir du moment où l'expansion économique a commencé à s'essouffler. Les communautés juives, spécialisées dans le commerce de l'argent et pratiquant le prêt à intérêt, passaient pour s'abreuver du sang du peuple. Ainsi, à l'époque de la grande peste, au XIVᵉ siècle, le juif fut traité comme le responsable du malheur. Il avait été considéré tel un ennemi au moment de la croisade, à la fin du XIᵉ siècle. Lorsque les croisés sont passés par les villes de la vallée du Rhin, ils ont massacré les communautés juives. Les gens du pays ont tenté de les protéger. Les évêques de Cologne, de Mayence, de Trèves ont tout fait pour éviter les massacres, mais ils n'ont pu arrêter ce fanatisme, cet enthousiasme sanguinaire de ceux qui partaient délivrer le tombeau du Christ. « Le Christ est mort ; les juifs l'ont tué », disaient les croisés. Donc il faut tuer les juifs. Mais au XIIᵉ, au XIIIᵉ siècle, à Paris, à Rouen, à Troyes, intellectuels juifs et chrétiens dialoguaient. On a des témoignages de parfaite solidarité entre savants de religions différentes.

✠ *Pourtant, les gens voyageaient beaucoup au Moyen Âge. Ces mouvements de population ne favorisaient-ils pas une plus grande tolérance à l'égard de l'étranger ?*

Alphonse le Sage, roi de Castille, comme l'empereur Frédéric II, roi de Sicile, accueilleront auprès d'eux juifs et musulmans. Un juif et un arabe jouant aux échecs. Manuscrit composé à la demande d'Alphonse le Sage, *Le Livre des jeux,* **1283 (f° 63 r°). Espagne, bibliothèque de l'Escorial.**

C'est grâce à cette mobilité qu'a pu se constituer une nation française… Longtemps, la France a été coupée en deux, entre les gens du Nord et ceux du Midi. La limite, c'était le sud de la Loire. À Bordeaux, encore, on se sentait assez proche des gens du Nord, alors que, à Clermont, à Toulouse, on s'en sentait très éloigné. La croisade contre les Albigeois, au XIIIᵉ siècle, n'a pas arrangé les choses. Les gens du Midi ont vu l'arrivée des gens du Nord comme une invasion étrangère dévastatrice et il y a eu recrudescence du nationalisme occitan. Mais il est vrai que, grâce aux voyages, aux contacts, peu à peu, l'hostilité s'est atténuée entre les différentes ethnies. Et même une sorte de coha-

Au XIe siècle, l'Église engageait les chevaliers à combattre et leur promettait la rémission de leurs péchés. C'est l'origine des croisades pour la défense des chrétiens opprimés. Chrétiens et musulmans. Manuel « Secreta fidelium crucis » pour un jeune aspirant croisé par Marino Sanudo, XIIIe siècle (f° 4 : départ de la croisade). Venise, bibliothèque Marciana.

bitation s'est établie en Syrie, en Palestine, entre les croisés et les musulmans. Pendant le siège de Saint-Jean-d'Acre, par exemple, on organisait des tournois entre Richard Cœur de Lion et Saladin comme on organise un match entre l'Olympique de Marseille et Milan. Peu à peu, on s'est connu, on s'est respecté. Dans ses *Mémoires*, un seigneur musulman de Syrie dit : « Les Francs, ils ne sont pas si mal que ça… Évidemment, ils ont leurs coutumes : par exemple, ils emmènent leur femme avec eux au hammam ; ça n'est pas convenable, mais finalement ce sont des gens bien, ils ont le sens de l'honneur. » Les chrétiens qui n'étaient pas fanatiques pensaient la même chose de leur côté.

✠ L'existence du vaste Saint Empire romain germanique n'a-t-elle pas créé le sentiment d'une communauté ?

Jamais l'Europe n'a été aussi unie qu'aux XIIe et XIIIe siècles, et cette unité tenait au fait que les Européens de ce temps avaient le sentiment de constituer un seul peuple, le peuple chrétien, qui, sur le plan institutionnel, était encadré par deux puissances supérieures de contrôle, celle du pape et celle de l'empereur. Les petits pays jaloux les uns des autres étaient extrêmement divisés mais aussi réunis dans un ensemble qui les englobait. Par exemple, en lisant une chronique écrite à Amboise au XIIe siècle, on s'aperçoit que les gens d'Amboise avaient conscience de former une nation et voyaient en face d'eux les gens d'Angers et les gens de Blois en former une autre. Il existait un grand nombre de dialectes locaux, mais pourtant les gens se comprenaient. Quand saint Dominique, un Espagnol, va prêcher en Allemagne, tout le monde le comprend. La chrétienté latine constituait la communauté essentielle dont l'armature était l'Église, l'Église centralisée avec des universités où le même savoir était dispensé dans une langue commune, le latin, à un personnel surabondant. De son côté, l'aristocratie était réunie par les alliances matrimoniales. Toutefois, à partir du XIIIe siècle, par l'effet de la croissance matérielle, les États se sont raffermis. Les guerres intra-européennes se sont multipliées et le nationalisme, ce poison, a commencé à infecter l'Europe. La guerre est devenue presque permanente. Les gens ont vécu la guerre de

68

Cent Ans comme une guerre perpétuelle contre les Anglais, des ennemis qu'on ne pouvait pas souffrir, parce que c'étaient des envahisseurs. Mais on était déjà à la fin du Moyen Âge.

✠ *Quand on évoque, aujourd'hui, la peur de l'autre, on pense à toutes les populations qui sont à nos portes, en Afrique, à l'Est, et cette peur est celle d'une immigration massive…*

La grande différence avec le Moyen Âge, c'est que l'Europe de l'époque féodale n'était pas comme aujourd'hui un pays peu peuplé, entouré d'espaces extérieurs trop pleins, susceptibles de se déverser sur elle. C'était l'inverse. L'Europe était en pleine progression démographique, en pleine expansion ; c'était elle qui débordait. En fait, très vite, l'Europe s'est étendue vers l'est, jusqu'au fond de la Baltique, par la christianisation des tribus slaves, païennes. Elle s'est étendue vers le sud, par la reconquête de l'Espagne, la libération de l'Italie du Sud, de la Sicile, l'installation, un moment, dans le Maghreb. Il y eut même un essai d'expansion plus lointaine, vers Constantinople, qui fut conquise, et vers la Terre sainte, la Syrie et la Palestine. Les Européens de ce temps-là ne se sont jamais sentis en situation d'être submergés par une vague démographique venue d'ailleurs. Excepté devant les hordes mongoles qui venaient du fond de l'Asie et portaient la terreur avec elles.

Au XIIIᵉ siècle, on croit toujours que le peuple de Dieu doit être purgé des corps étrangers et funestes dont la présence répand l'infection parmi les fidèles. Des mesures d'exclusion sont prises, en particulier contre les juifs, tenus pour les coupables de la mort du Christ. « Le roi d'Égypte s'inquiète avec ses sujets de la multiplication des juifs. » Bible latine de l'abbaye du mont Saint-Éloi, XIIIᵉ siècle (f° 16 r° : l'exode). Arras, bibliothèque municipale.

locutio in egypto. Incipit
qui et exodus dicitur. La

ec sun
isrl' q
egypti
guli c
in tro
sy ne
ysach
beniamin: dan. et neptal
Erant igitur omnis aie eorum q
femore iacob. lxx. Ioseph ha
erat. Quo mortuo. et uni
omnique cognatione sua. fili

✠ *La xénophobie contemporaine intègre la crainte d'une perte d'identité culturelle. Ce sentiment existait-il au Moyen Âge ?*

Là encore, grande différence. L'Europe de l'expansion, l'Europe de l'an mil, juvénile, qui se lançait à l'assaut des autres parties du monde, était, face aux civilisations du Sud, byzantine et islamique, en état d'infériorité.

L'Europe n'a pas eu à se défendre contre la contamination d'une culture extérieure. Elle s'est au contraire nourrie de celles, beaucoup plus riches, qui étaient autour d'elle. Le développement intellectuel et technique de l'Europe du XIIe siècle se fonde sur ce que les conquérants chrétiens ont trouvé dans les bibliothèques arabes de Tolède ou de Palerme. Les Arabes, eux, avaient recueilli l'héritage de la science et de la philosophie grecques, que les Romains avaient négligées, et c'est dans leurs livres que les Européens ont découvert Euclide, Aristote, la médecine, la logique, l'astronomie, Ptolémée. Ils se sont jetés sur ce trésor comme nous nous jetons sur certains produits de la culture américaine. L'Europe était alors assez vigoureuse pour créer sa propre culture avec ce qu'elle prenait d'ailleurs.

✠ *L'étranger était aussi désirable. Constantinople, par exemple, attirait les Européens…*

Bien sûr, et aussi l'Espagne. La Méditerranée était un monde merveilleux. Les croisés ne se seraient pas lancés avec autant d'enthousiasme dans une aventure aussi périlleuse s'ils n'avaient pas su qu'au bout du voyage ils trouveraient des femmes superbes, des parfums, des soieries, des

Peu à peu les chrétiens d'Europe installés en Orient et les indigènes musulmans apprirent à mieux se connaître, et la diplomatie se substitua souvent à la guerre.
Duel entre un croisé et un maure. Vercelli, mosaïque provenant de l'église Sainte-Marie-Majeure.

perles. La plupart n'en sont pas revenus, mais ils étaient partis fascinés par ce mirage.

Là, les rôles étaient inversés. Les Européens étaient les envahisseurs. Quand l'empereur de Constantinople a vu arriver les premiers croisés, il a eu très, très peur. Nous étions les barbares.

✠ *La peur de l'autre, c'était aussi la peur vis-à-vis du marginal…*

Il y avait, évidemment, dans cette société, des exclus, des gens qui ne pouvaient pas supporter l'encadrement. Car cette société se révélait extrêmement grumeleuse, agglutinante. Conséquence : l'individu était complètement enrobé dans une communauté dont il ne pouvait pas se détacher. Il y avait des gens qui ne pouvaient pas supporter cet enfermement et qui prenaient le parti de s'en aller. On distinguait ainsi dans les campagnes les gens du village et les gens des bois, ceux-ci installés dans la forêt qui occupait tant de place dans le paysage. C'était le lieu de la liberté, de l'indépendance, un espace peuplé de gens qui vivaient plus pauvrement, mais qui jouissaient du grand privilège, eux, d'être libres et indépendants. Donc, il y avait des marginaux, il y en avait également dans les villes et ils faisaient peur à ceux qui se satisfaisaient de vivre en communauté close. Là aussi, les chroniques nous fournissent des témoignages très éclairants : un seigneur, le comte d'Anjou, va à la chasse. C'est la principale occupation de tous les seigneurs féodaux, des rois de France comme les autres. Il s'écarte de ses compagnons en poursuivant la bête sauvage et se perd dans la forêt. Sur son chemin il rencontre un homme tout noir, tout poilu, qui pue comme un sanglier. C'est un charbonnier qui vit dans la forêt. Première réaction du comte, la peur. Il est sur le point de le tuer ou de se battre avec lui mais sans être sûr d'en venir à bout, et puis il se

L'homme médiéval vit au sein
d'une famille, d'un groupe,
et les solitaires sont suspects,
considérés comme des fous
ou des criminels.
Les seuls marginaux qui font
exception sont les ermites, des
sages qui ont eu le courage de
se retirer au fond des forêts pour
expier leurs péchés.
La Vie des pères, xve siècle
(manuscrit 5216, f° 15).
Paris, bibliothèque de l'Arsenal.

contient, lui demande de le remettre sur la bonne voie et ils partent ensemble. Au cours du chemin, le comte d'Anjou interroge ce « sauvage » qui l'accompagne : « Qu'est-ce que tu penses de ce type, le comte d'Anjou, là, qui nous domine, qu'est-ce que c'est ? Tu crois que c'est quelqu'un de bien ? » Et l'autre lui dit : « Oui, il est pas mal, mais pourquoi nous impose-t-il tellement d'impôts, et pourquoi est-ce qu'il ne fait pas rendre gorge à tous les percepteurs ? » On perçoit ici le mouvement de recul devant l'homme des bois, qui apparaît comme un être dangereux, mais qui est aussi le bon sauvage, vers qui on se tourne pour essayer de voir un peu plus clair dans la vie. C'était le cas aussi des ermites qui se retiraient dans les forêts. Dans les romans de chevalerie, l'ermite tient le rôle du personnage sage qui réconcilie, qui apaise. Celui que Tristan et Iseult rencontrent dans la forêt, lorsqu'ils se sont perdus et marginalisés pour vivre leur amour dans l'indépendance, leur dit : « Non, ce n'est pas bien, il faut… » C'est lui qui, peu à peu, les fait sortir de leur péché. Voilà ce que sont les marginaux.

✠ *Certains groupes sociaux étaient-ils mieux protégés à l'époque médiévale que maintenant ?*

Au Moyen Âge, on n'enfermait pas les fous. Il y avait, comme dans les pays d'Islam, l'idée que le fou c'est l'homme de Dieu, un être qui participe, par un certain côté, à la connaissance des choses invisibles. Il faut donc le respecter, sans le mettre à part. J'ajoute enfin que les vieillards n'étaient pas non plus comme aujourd'hui enfermés dans des mouroirs. Les gens finissaient leur vie à l'intérieur du groupe, à l'intérieur de la famille. Ils n'étaient pas relégués, comme dans notre société, pour s'en aller périr loin du regard des autres.

Codex Calixtinus, XIIe siècle (manuscrit, f° 162 v°). Santiago de Compostelle, archives de la cathédrale.

la peur des
épidémies

Les peintres représentaient les assauts de la peste par une pluie de flèches meurtrières. Ainsi, sur cette peinture peinte vers 1424, le Christ envoie du haut du ciel les flèches de la peste qui frappent précisément les corps aux lieux où apparaissent des bubons.
Le Christ lançant les flèches de la peste, peinture sur bois, anonyme, 1424.
Hanovre, Niedersachsisches Landesmuseum.

C'est le feu du mal des ardents qui brûle les populations de l'an mil. Une maladie inconnue qui provoque une terreur immense. Mais le pire est à venir : la peste noire ravage l'Europe et fauche le tiers de sa population durant l'été 1348. Comme le sida pour certains, cette épidémie est vécue comme une punition du péché. Alors, on cherche des boucs émissaires, et l'on trouve les juifs et les lépreux, accusés d'empoisonner les puits. Les villes se

Les années 80 ont vu se répandre le sida, cette peste nouvelle. Certains ont sans doute pensé que le Ciel punissait ainsi le péché. En tout cas, face au mal nouveau, les réflexes d'antan sont réveillés : la peur des autres. La journée du désespoir organisée par Act Up, le 21 mai 1994.

replient sur elles-mêmes, interdisant l'entrée à l'étranger suspecté d'apporter le mal. La mort est partout, dans la vie, l'art, la littérature. Mais les hommes de ce temps redoutent une autre maladie, la lèpre, considérée comme le signe distinctif de la déviance sexuelle. Sur le corps de ces malheureux, se refléterait la pourriture de leur âme. Alors les lépreux sont isolés, enfermés. Un rejet radical qui évoque certaines attitudes à l'égard du sida.

✠ *Aujourd'hui, le monde redoute encore les épidémies. Quelle était leur réalité en l'an mil ?*

Il faut d'abord rappeler que l'état sanitaire était comparable à celui de l'Afrique noire en 1900. La population était défendue contre les miasmes par son système immunitaire et peut-être mieux défendue que nous contre l'infection. En revanche, elle était très démunie quant aux moyens de guérir, et elle se nourrissait mal. L'épidémie qui préoccupe les chroniqueurs de l'an mil, c'est le mal des ardents, le feu Saint-Antoine. On sait maintenant que c'est une maladie de carence, déclenchée par la consommation de l'ergot du seigle présent dans la farine. En 997, un chroniqueur la décrit ainsi, en dramatisant : « C'est un feu caché qui s'attaque à un membre, qui le consume, qui le détache du corps. La plupart des hommes, en l'espace d'une nuit, sont complètement dévorés par cette affreuse combustion. » On n'en savait pas la cause ni le remède. Alors on essayait tout. Le chroniqueur raconte que les évêques d'Aquitaine se sont rassemblés dans une prairie près de Limoges. On avait apporté les reliques des saints, le corps de saint Martial et bien d'autres. Et, brusquement, le mal cessa. Tout cela est très significatif. Devant un mal inconnu, la terreur est immense. Le seul recours est le surnaturel. On réclame la grâce du Ciel et on sort de leur tombeau les saints protecteurs. Un peu plus tard, à Paris, envahi par une maladie inconnue qu'on ne savait pas guérir, on a promené dans les rues la châsse de sainte Geneviève. Des

vagues de mortalité sévissaient et puis elles re-
fluaient aussi mystérieusement qu'elles étaient
apparues, non pas grâce à l'intervention de saint
Martial, mais parce que le corps humain avait
appris à se défendre. Des épidémies donc, des
morts, beaucoup de morts, pendant quelques
jours ou quelques mois, mais on ne peut pas
parler de catastrophes sanitaires avant le XIVe
siècle. À ce moment se produit un événement
considérable, les épouvantables ravages, à travers
l'Europe entière, de la grande peste, la peste
noire.

✠ *Comment s'est*
développée la peste à
travers l'Europe ?

Elle se transmettait essentiellement par les para-
sites, notamment les puces, et les rats. C'était
une maladie exotique, contre laquelle les organismes des Européens n'étaient pas défendus.
Elle vint d'Asie par la route de la soie. Voyez-
vous, l'épidémie, cette catastrophe, est donc
aussi l'un des effets du progrès, de la croissance.
Le commerce de l'Europe s'était développé, les
négociants génois et vénitiens partaient trafi-
quer jusqu'aux confins de la mer Noire et,
là-bas, ils entraient en contact avec les marchands venus d'Asie. C'est de la Crimée, où des
comptoirs génois étaient installés, qu'un ou
plusieurs navires ont rapporté le germe de la
peste en Méditerranée. Ils ont d'abord fait
relâche en Sicile, et l'Italie du Sud a été touchée
au début de 1347. Ensuite, la maladie s'est

Pages suivantes.
Dans les villes ravagées
par la peste, il n'est plus possible
d'enterrer les morts.
Ils sont déversés, sans même
un linceul, dans des fosses
creusées à la hâte.
La Peste à Louvain en 1578.
Anonyme.
Louvain, musée communal.

1578

« J'en vis deux qui seyaient
entr'appuyés comme poêlon
à poêlon sur la braise, du chef
aux pieds tout tavelés de croûtes
[...] comme chacun rencroissait
les morsures de ses ongles
sur soi, pour la grand rage
dont leur peau, sans merci,
est démangée. »
Dante, *La Divine Comédie*,
Enfer, chant XXIX.
École vénitienne, XIVe siècle.
Venise,
bibliothèque nationale Marciana.

introduite par Marseille en Avignon. Or
Avignon, en 1348, c'était la nouvelle Rome.
Le pape y résidait. Et vous savez que, si tous les
chemins mènent à Rome, tous en partent aussi.
D'Avignon, la maladie s'est répandue d'une
façon foudroyante à peu près partout. Je dis à
peu près parce qu'il y a eu quelques provinces
épargnées, mais pas beaucoup. On a l'impres-
sion – on ne peut pas faire de statistiques – que
pendant l'été de 1348, entre le mois de juin et
le mois de septembre, le tiers de la population
européenne a succombé. Représentez-vous,

Hippocrate affirmait que les miasmes infectent l'air et qu'il faut allumer des feux dans les rues pour les détruire.
On eut donc recours à la flamme purificatrice, totalement inutile en temps de peste.
Hippocrate,
gravure de la page de titre des *Œuvres complètes*.
Venise, 1588.
Paris, bibliothèque de l'ancienne faculté de médecine.

Hippocrates imminentem pestem avertit.

actuellement, la région parisienne : douze millions d'habitants ; le tiers, soit quatre millions de morts en trois mois ! On ne savait plus où les mettre. L'un des problèmes était de les enterrer. Il n'y avait plus de bois pour faire les cercueils. Comment résister ? Il y avait déjà à cette époque une médecine et une chirurgie d'une grande qualité, on a donc des témoignages de médecins. Ils avaient une idée des mécanismes de la contamination. Ils savaient que l'air vicié propage les miasmes. Donc, ils recommandaient de brûler des herbes aromatiques dans les rues.

Mais ils ne savaient pas qu'il fallait se défendre contre les puces. Les catégories sociales qui ont été les plus épargnées étaient donc celles qui vivaient dans plus de propreté, c'est-à-dire les riches. Mais au couvent de Montpellier, par exemple, où on se lavait peu, les franciscains étaient quarante-cinq et ils sont tous morts. Rien n'est comparable à ce choc effroyable de la peste de 1348, sauf peut-être l'invasion mongole ou le sida dans un pays d'Afrique noire.

✠ *Quelles ont été les conséquences de la peste noire ?*

Quand le tiers ou la moitié de la population disparaît d'un seul coup, les conséquences sociales et mentales sont gigantesques. Ceux qui restent sont beaucoup moins nombreux à se partager le gâteau, les héritages, les fortunes. L'épidémie a déterminé une hausse générale du niveau de vie. Elle a soulagé l'Europe d'un sur-croît de population. Pendant un demi-siècle, la peste est restée à l'état endémique, avec des retours tous les quatre ou cinq ans jusque vers 1400, quand les organismes humains ont finalement développé des anticorps leur permettant de résister. À chaque répit, la vie reprenait de plus belle. Pendant les années de peste, les archives des notaires sont remplies de testaments, et dès que la maladie recule, de contrats de mariage. À mon avis, c'est dans le domaine culturel que les répercussions du choc sont les plus visibles. Le macabre s'installe dans la litté-

Le livre des comptes de Sienne pour 1437 rappelle le passage de la peste de juin à décembre, dont les chroniqueurs disent qu'« elle provoqua une forte mortalité et que beaucoup de citadins en mourut ».
Giovanni di Paolo représenta la peste par ce monstre hideux lançant des flèches.
Le Triomphe de la mort, détail d'une miniature attribuée à Giovanni di Paolo (f° 164 r°), vers 1431 ou 1450.
Sienne, bibliothèque municipale.

rature et dans l'art. On voit se répandre des images tragiques, le thème du squelette, de la danse macabre. La mort est partout.

✠ *Peut-on établir un parallèle entre la peur de la peste et celle du sida ?*

Si l'on s'interroge sur ce qui peut rapprocher les peurs d'aujourd'hui et les peurs d'autrefois, c'est peut-être là qu'on trouve la correspondance la plus étroite. Parce que, comme le sida, l'épidémie en général et la peste noire en particulier

L'ABBOMINEVOLE RITRATTO DI ALDRVI D'ORSA, INFAME, EPRIMA CAGIONE DELLA PESTILENSIA DI MILANO.

Considérant la peste comme une punition divine, on chercha des boucs émissaires.
Les juifs et les lépreux, cristallisant les peurs latentes, subirent un déchaînement de violence.
« Abominable portrait d'Aldrui d'Orsa, infâme responsable de la pestilence de Milan ».
Frontispice de la sentence du procès contre les propagateurs pendant la peste de Milan en 1631.

ont été considérées comme une punition du péché. Dans le désarroi, on cherchait des responsables, et des boucs émissaires : c'étaient les juifs et les lépreux. On disait qu'ils avaient empoisonné les puits. Il y eut un déchaînement de violence contre ceux qui apparaissaient comme les instruments d'un Dieu vengeur qui fouettait ses créatures en lançant sur elles la maladie.

✠ *Ces maladies ont-elles engendré un certain progrès dans les techniques de soins ? Est-ce qu'un autre regard a été porté sur les malades ?*

À propos du mal des ardents, je ne crois pas qu'il y ait eu des progrès thérapeutiques. Pour la peste noire, je n'en dirais pas autant. On devine un certain progrès des connaissances médicales. Apparaît, surtout, un sursaut dans cette volonté de venir en aide à ceux qui souffrent. Des gens se portaient volontaires pour enterrer les morts, soigner les malades. Ils savaient très bien qu'ils risquaient leur vie, mais ils le faisaient. Les liens de solidarité se sont resserrés devant la calamité.

✠ *La peste a-t-elle entraîné une meilleure hygiène ?*

Apparemment non. Mais la population au XIIIe siècle était plus propre qu'au XVIIe. Les compagnons de Saint Louis se lavaient plus souvent que ceux de Louis XIV. Il y a eu progrès dans l'hygiène, au XIVe siècle, par suite de l'élévation du niveau de vie lorsque l'habitude s'est prise de porter du linge de corps. Des chemises qui se lavent. Mais il y avait la vermine. Difficile de s'en protéger ! Toute une faune parasitaire cohabitait avec l'espèce humaine et cet écosystème hommes-bêtes favorisait la contagion.

✠ *Comment les gens s'informaient-ils du développement d'une épidémie ? Savaient-ils, par exemple, que la peste était arrivée sur le continent européen avant qu'elle ne touche leur région ?*

Bien sûr. Car cette population était très mobile. On sut très tôt en Avignon que les gens à Marseille mouraient comme des mouches. On bouclait alors les portes des villes. On se protégeait en s'enfermant. C'est ce que font les jeunes gens que Boccace imagine dans le *Décaméron*. La peste ravage Florence, quelques garçons et filles de bonne famille vont s'isoler dans une propriété de campagne et attendent en s'amusant que l'épidémie finisse. On s'est défendu par l'enfermement jusqu'au XIXe siècle. Lisez Giono qui s'était bien renseigné avec l'épidémie de choléra de 1832 dans *Le Hussard sur le toit*. C'est la même chose. Les villes se repliaient sur elles-mêmes, on évitait l'étranger, suspecté d'apporter la corruption avec lui.

✠ *Existait-il des autorités qui donnaient des conseils aux populations ?*

On conserve les registres de délibérations des assemblées municipales dans les villes et dans les villages du sud de la France où existaient déjà au XIVe siècle des organismes responsables de la vie collective. On voit que les conseils municipaux de l'époque ont pris des dispositions pour lutter contre l'invasion de la maladie. Mais il s'agissait surtout de s'enfermer derrière les murs et d'interdire l'entrée des étrangers.

✠ *La lèpre était-elle une maladie à part ? Est-ce uniquement la peur de la contagion qui conduit à isoler les lépreux ?*

On appelait « lèpre » beaucoup de maladies. Toute éruption de boutons, la scarlatine, par exemple, toute affection cutanée passaient pour lèpre. Or on avait, à l'égard de la lèpre, une terreur sacrée : les hommes de ce temps étaient persuadés que sur le corps se reflète la pourriture de l'âme. Le lépreux était par sa seule apparence corporelle un pécheur. Il était désagréable à Dieu et son péché lui ressortait par la peau. Tout le monde croyait aussi les lépreux dévorés par l'ardeur sexuelle. Ces boucs, il fallait les isoler. Donc la lèpre, mal que l'on ne savait pas soigner, semblait, comme le sida a pu l'être actuellement, le signe distinctif de la déviance sexuelle.

✠ *En fait, le parallèle entre la peur d'hier et celle d'aujourd'hui, concernant les épidémies, semble plus pertinent avec la lèpre...*

Effectivement, on enfermait les lépreux comme Le Pen a suggéré d'enfermer les sidéens. Mais François d'Assise a rencontré le Christ dans un lépreux qu'il a croisé sur son chemin et qu'il a pris dans ses bras. On sait que des saintes femmes, dans le nord de la France, consacraient leur vie à baigner les lépreux, à s'occuper d'eux. Autour de chaque léproserie vivait un groupe de chrétiens enflammés de compassion. Enfin, cette maladie se répandait d'une manière plus équitable que la peste. Elle ne frappait pas que les pauvres. Il y eut même un roi lépreux, le roi Beaudoin de Jérusalem.

La peste à Rome.
Les frères Limbourg ont peint ces miniatures illustrant la vie de saint Grégoire vers 1410 pour *Les Belles Heures* de Jean duc de Berry. Ce séjour à Bourges à la cour du duc leur fut fatal : ils moururent tous les trois au début de l'année 1416, quelques mois avant leur protecteur.

Le pape Grégoire annonce du haut de la chaire de Saint-Jean-de-Latran sa décision d'ordonner une grande procession.

Puis on le voit arriver devant le mausolée d'Hadrien (qui prendra plus tard le nom de château de Saint-Ange).

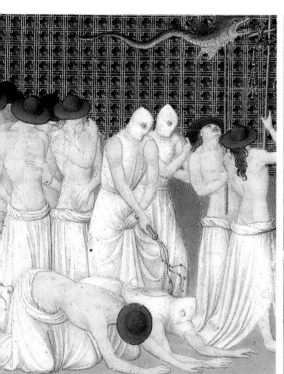

La troisième miniature montre les flagellants qui pourtant n'existaient pas à l'époque.

Dans la quatrième, une fosse commune au pied du château Saint-Ange reçoit plusieurs cadavres.
Miniatures des frères Limbourg, *Les Belles Heures de Jean de Berry,* 1410.
New York,
The Metropolitan Museum of Art,
The Cloisters Museum.

✠ *Au milieu des années 80, quand le sida n'était pas bien connu, les communautés homosexuelles et les toxicomanes ont été montrés du doigt. Aujourd'hui, on s'aperçoit que de nouvelles solidarités naissent autour de cette maladie…*

Je crois bien davantage à un élan de générosité, d'entraide collective devant le sida que devant la misère matérielle. Dans l'inquiétude, un certain nombre de tabous tombent. Encore qu'apparaissent sournoisement des réflexes d'autodéfense, de repli, de peur du malade, le désir pervers de le mettre à l'écart.

**Les hommes du Moyen Âge
nommaient « lèpre » toutes
les maladies cutanées.
Rejetés et enfermés, les lépreux
passaient pour être dévorés par
l'ardeur sexuelle.**
Miroir de l'humaine salvation :
« **Guérison de Naaman le lépreux** »
et « **Passage du Jourdain** ».
**Flandres, xvᵉ siècle.
Chantilly, musée Condé.**

la peur de
la violence

La société raffinée de la pré-Renaissance est aussi celle des grandes violences et des grandes cruautés. Elles sont décrites dans l'œuvre de Boccace. Boccace, *Le Livre des nobles hommes et femmes* (f° 190 r°). Miniature française, XVe siècle. Chantilly, musée Condé.

La société médiévale vit, meurt et s'amuse dans une grande brutalité. Les paysans préfèrent voir les chevaliers partir à la croisade ou s'entretuer dans les tournois plutôt que piller les récoltes et rançonner les villages. Car la grande insécurité en l'an mil est entretenue par ces bandes de chevaliers, jeunes nobles sans attaches contraints de courir l'aventure pour survivre. D'exactions en exactions, ils sont considérés dans les

La violence affleure
au quotidien dans les grandes
cités de la banlieue,
ces terres de nulle part.

campagnes commes les agents du démon. L'Église, armature principale de la société, tente d'établir un ordre moins sauvage et cherche à les convaincre d'aider Dieu à maintenir la paix sur terre plutôt que de semer la terreur. Les bandes de routiers prennent leur relais quand se développent les guerres entre États. Des violences pourtant moins destructrices que les carnages contemporains de Verdun à Stalingrad.

✠ *La peur de la violence, de l'insécurité est dominante à notre époque. Existait-elle au Moyen Âge ?*

Au Moyen Âge, la mort, comme la douleur physique, comptait peu. Lorsqu'on lit les poèmes, les romans écrits pour distraire les nobles, on est frappé par la sauvagerie qu'ils évoquent. Quant au sport, c'était la guerre, ou ce simulacre de la guerre qu'était le tournoi. Un tournoi, ce n'était pas du tout ce que montre le cinéma, deux chevaliers qui, tranquillement, devant des spectateurs, s'affrontent d'une manière courtoise. Imaginez plutôt deux cohues hurlantes qui se jetaient l'une contre l'autre et qui ne songeaient qu'à s'emparer par la force de l'adversaire, de ses chevaux, de ses armes. Ils n'y allaient pas de main morte. Ces rencontres sportives faisaient tant de victimes que l'Église a tenté vainement de les interdire, voulant que les combattants ne s'abîment pas trop les uns les autres et qu'il en reste assez pour faire la guerre aux ennemis du Christ. Ces tournois jouaient en fait le rôle d'exutoire dans une société extrêmement brutale.

✠ *Qui sont les principaux responsables de la violence ?*

L'insécurité aux XIe et XIIe siècles, dans le pays français, venait principalement des chevaliers, des bandes de militaires. Le peuple des campagnes les considérait comme les agents du démon. On tenta d'empêcher les chevaliers de nuire, justement en l'an mil. Les chroniques de l'époque font état de ce qu'on appela la « paix de Dieu », une tentative, plus ou moins réussie,

Devant la violence et l'insécurité provoquées par les chevaliers, l'Église et les princes
se mobilisèrent en l'an mil pour établir la « paix de Dieu » limitant strictement l'activité militaire.
Froissart, *Chroniques*, volume 1, xve siècle (manuscrit français 86, f° 1).
L'auteur à son pupitre écrivant devant une scène de bataille. Paris, Bibliothèque nationale.

de venir à bout de la violence de la chevalerie. On réunissait les hommes d'armes dans des assemblées, autour des reliquaires. Les évêques et les princes leur disaient : « Si vous ne voulez pas être damnés, prêtez serment, engagez-vous en face de Dieu, et sur votre âme, à respecter un certain nombre d'interdits. Vous pouvez vous tuer entre vous, mais vous ne devrez plus, dorénavant, vous battre dans les environs des églises, lieux d'asile où quiconque doit pouvoir se réfugier. Vous ne pourrez pas vous battre certains jours de la semaine, en mémoire de la Passion du Christ. Pas de guerre le vendredi, donc, ni le dimanche. Et puis, vous ne devrez pas attaquer les femmes, en tout cas les femmes nobles, ni les marchands, les prêtres et les moines. » Il en résulta une sorte de codification de la guerre qui reléguait la violence dans des espaces limités où les guerriers pouvaient se bagarrer entre eux, et l'on espérait vaguement d'ailleurs qu'ils finiraient par s'exterminer les uns les autres.

La représentation du jardin des supplices récapitule toutes les formes de violence qui menaçaient la société du Moyen Âge. Boccace, *Le Livre des nobles hommes et femmes* (f° 190 r° : assassinat, pendaison, bûcher). Miniature française, xve siècle. Chantilly, musée Condé.

intime

✠ *Ces chevaliers étaient-ils « destinés » à semer la violence ?*

Il faut se référer aux coutumes matrimoniales dans la noblesse de ce temps. La richesse était la terre, et l'on craignait de voir les patrimoines s'émietter par héritage. Dans les familles, on ne mariait donc qu'un seul garçon. Tous les autres – il y en avait beaucoup, car la mortalité infantile était moins forte chez les riches que chez les pauvres – devaient rester sans femme légitime, sans attaches. Toute leur vie, ils étaient contraints de courir en bandes l'aventure, et l'aventure – le mot est de l'époque – était militaire, ravageuse. La violence sévissait donc partout. Les hommes de guerre vivaient sur le pays et ceci a duré longtemps, jusqu'à la fin de l'Ancien Régime. D'ailleurs, on le voit bien dans certaines régions d'Afrique ou d'Asie aujourd'hui, dès qu'une force militaire n'est plus encadrée par une force politique efficace, elle tend à devenir dévastatrice.

Avec le développement, le passage d'une économie agraire à une économie monétaire, la richesse est devenue peu à peu plus fluide. On partageait plus facilement l'héritage, et la restriction au mariage des garçons s'atténua. À partir du XIIIe siècle, la violence est moins diffuse, mais elle prend une autre forme, celle de la guerre entre les États qui se sont renforcés. Le risque que faisait courir la chevalerie est alors remplacé par celui des routiers, des compagnies de mercenaires constituées de marginaux, de fortes équipes réunies sous le commandement d'un capitaine qui traitait avec les chefs d'État, s'engageant au prix fort pour telle ou telle expédition militaire. Ces gens-là combattaient à pied, et non pas à l'épée, mais avec des armes ignobles, des piques et des haches. Ces professionnels de la guerre étaient extrêmement efficaces, particulièrement dangereux pour le peuple quand ils étaient au chômage : ils vivaient sur le pays, le dévastaient. Ils sont apparus à leur tour comme des agents du diable. L'Église les a condamnés, pourchassés comme des hérétiques, mais les princes ne pouvaient se passer d'eux et ils ont submergé la France pendant la guerre de Cent Ans. Cependant, les violences de la guerre étaient infiniment moins destructrices que nos conflits contemporains. Rien de comparable au Moyen Âge avec les carnages de Verdun ou de Stalingrad.

✠ *Quelles étaient les forces de l'ordre, les forces de contrôle de cette violence ?*

Ce qui limitait la violence, c'était la puissance de l'Église. Elle cherchait à rétablir à toute force la paix, parce que la paix est un reflet sur la terre de la Jérusalem céleste, de l'ordre parfait qui règne dans le Ciel. Les rois, personnages sacrés, étaient les lieutenants de Dieu sur terre. Appartenant en partie à l'Église par le rite du sacre, ils avaient pour responsabilité essentielle de maintenir la paix et la justice. C'est ce que promettait le roi, quand il était sacré à Reims, protéger l'Église et son peuple contre les violences. C'était son rôle, sa fonction et il s'employait à la

Chevaliers, puis bandes
de routiers terrorisent
la population.
Bible historiée de
Guiars des Moulins et
Pierre Comestor, fin XIIIe siècle
et début XIVe siècle (manuscrit 49,
f° 136 v° : soldats combattant
et mutilant les prisonniers).
Montpellier, musée Atger.

L'art des monastères appelle, au XIIe siècle, à lutter contre les sensations afin de devenir plus pur.
Chevaliers croisés représentant le combat de la Largesse et de la Charité contre l'Avarice, écrasée.
Clermont-Ferrand, chœur de Notre-Dame-du-Port.

remplir comme il pouvait. Lorsque l'État se reconstitue au temps de Saint Louis, il parvient à restreindre un peu l'agressivité des militaires. Mais c'était l'Église qui formait l'armature principale de la société. Elle a joué un rôle pacificateur, en menaçant ceux qui troublaient la paix d'être punis dans l'au-delà, en sacralisant le métier militaire, en imposant aux guerriers une morale du dévouement, en transformant la chevalerie en un ordre quasi religieux. La réalité de la chevalerie était quelque chose d'assez sinistre. Des hommes dont la principale distraction était de traquer les bêtes sauvages et de se jeter les uns sur les autres. L'Église, du moins, a travaillé de toutes ses forces, à partir du XIIe siècle, pour les persuader que chacun d'entre eux, lorsqu'il recevait son épée qui avait été bénie et déposée sur l'autel, recevait aussi une mission qui était celle du roi : employer ses armes pour faire régner la justice. Chaque chevalier était un petit roi et il était obligé d'aider Dieu à maintenir la paix sur la terre avec cette épée, au lieu de s'en servir pour rançonner les pauvres.

✠ *Cette entreprise, qui visait à transformer des brigands en guerriers dévoués, a-t-elle réussi ?*

On peut parler de réussite, mais partielle, comme toutes les réussites humaines, au XIIIe siècle. Saint Louis a montré l'exemple du parfait chevalier. Évidemment, il rêvait de planter son épée dans le ventre des juifs et des musulmans, mais pas dans celui des chrétiens.

Pour les chevaliers, la guerre et son simulacre le tournoi étaient des sports excitants mais singulièrement cruels. Dans les romans qui le mettent en scène, on voit souvent le héros Lancelot trancher la tête de l'adversaire qu'il a désarçonné et l'offrir aux demoiselles. « Perceval et Lancelot attaquent Galaad ».
Roman de Saint Graal, xve siècle (manuscrit 527, f° 81). Dijon, bibliothèque municipale.

✠ *La chevalerie était-elle aussi une entreprise de racket, pour employer un terme contemporain ?*

À l'origine, au XIᵉ siècle, très évidemment… Qu'est-ce que la féodalité ? Un éparpillement de châteaux. Dans chacun d'eux, un seigneur, responsable de l'ordre autour de la forteresse. Pour cela, il entretient une bande d'une vingtaine, d'une trentaine d'hommes de guerre avec leurs chevaux. Et que font-ils ? Ils défendent le pays, mais ils l'exploitent, ils essaient d'en tirer tout ce qu'ils peuvent. Ils sont juste retenus par l'idée que, s'ils prennent trop, le capital sera détruit. Les paysans résistent. Ils dissimulent leur peu de richesses. Un équilibre s'établit ainsi entre la rapacité du groupe seigneurial et la faculté d'autodéfense de la paysannerie.

✠ *Justement, comment les paysans pouvaient-ils se défendre contre ces exactions ? S'armaient-ils à leur tour ?*

Bien sûr. Les villages, dans les régions d'habitat groupé, étaient la plupart du temps fortifiés, entourés d'une espèce d'enceinte. La population, groupée derrière le curé de la paroisse, s'armait et se défendait contre les agressions. La jacquerie qui a éclaté en Île-de-France, au milieu de la guerre de Cent Ans, n'a pas été une révolte de pauvres, comme on le croit souvent, mais une révolte de paysans riches exaspérés d'être écrasés par les gens de guerre. La guerre durait depuis cinquante ans déjà dans le pays. Ils en avaient assez des exactions. Ils se sont armés et se sont jetés sur les nobles, les chevaliers, qui étaient les instruments du désordre.

✠ *À côté de cette violence militaire dans les campagnes, existait-il une criminalité urbaine ?*

Le brigandage existait bien sûr. Parmi les migrants misérables que nous évoquions, une partie vivait de malversations multiples. Nous ne possédons pas beaucoup d'indications avant le XIVe et le XVe siècle, où on peut commencer à faire une histoire de la criminalité. Elle semble relativement basse par rapport à celle qui sévit dans les grandes métropoles modernes. Les gens étaient violents, se battaient entre eux, mais commettaient moins de vols qu'on aurait pu le croire. D'autres sortes de violences se développaient dans les communautés urbaines. Il y avait beaucoup de jeunes gens célibataires dans les villes de la fin du Moyen Âge. Ces jeunes étaient souvent réunis en association, l'association de la jeunesse avec un chef à sa tête. C'était une bande, institutionnalisée. Il n'en existait qu'une seule dans chaque ville, et elle avait quelques privilèges. Ainsi, ces garçons pouvaient, à certains moments, libérer leurs pulsions dans la ville même. On les y autorisait. Les femmes en situation marginale, mal intégrées à la famille, en étaient les principales victimes. Le rite majeur dans ces associations de la jeunesse, c'était le viol, le viol collectif.

✠ *Toutes ces violences risquaient-elles de destructurer totalement la société de l'époque ?*

Non. Les structures de la société étaient suffisamment solides pour contenir la violence, pour étouffer les germes de discorde. La plupart des conflits se réglaient entre voisins, ou à l'in-

L'Église travaille à contenir
la violence des chevaliers.
Lorqu'ils ceignaient leur épée,
qui avait été bénie et déposée
sur l'autel, ceux-ci recevaient une
mission qui était celle du roi :
employer cette arme pour faire
régner la justice.
Cavalier symbolisant la guerre.
Apocalypse, XIIIe siècle
(manuscrit du nord de la France).
Cambrai, bibliothèque municipale.

térieur de la famille. Évidemment, certaines attitudes de violence étaient acceptées. Le mari, par exemple, pouvait battre sa femme comme plâtre, éventuellement la tuer si elle était adultère, la brûler… Mais, quand on considère cette société dans son ensemble, on la voit beaucoup moins convulsive que la nôtre, moins travaillée par le trouble intérieur qui engendre la criminalité. Les forces de conciliation qui existaient à l'intérieur de toutes ces cellules où l'individu se trouvait extrêmement intégré formaient un frein à l'éruption des pulsions agressives.

Le texte de l'Apocalypse de Jean décrit les fléaux qui s'abattront sur l'humanité aux approches de la fin du monde. Cette image qui présente au regard ces tribulations annoncées illustre le commmentaire que le moine espagnol Beatus de Liebana rédigea en 975. Gérone, cathédrale.

✠ *Quelle leçon en tirer aujourd'hui ?*

Ceux qui essaient aujourd'hui de régler, en France, les problèmes de la ville, auraient sans doute intérêt à examiner de près comment fonctionnaient, dans la société du Moyen Âge, ces associations de la jeunesse dont je parlais. On autorisait certaines choses, mais on n'autorisait pas tout. Institutionnaliser la bande, dans les banlieues actuelles, lui donner une structure vraie, contrôlable, ce serait peut-être une des solutions…

✠ *Dans ce catalogue de la criminalité et des violences, la prostitution était-elle susceptible d'entraîner certaines violences ?*

La prostitution était très bien organisée, dans une société qui comptait beaucoup de célibataires, tout le clergé d'abord, et puis tous ces jeunes hommes qui se mariaient tard. Tout le monde considérait qu'il fallait un exutoire à leurs besoins sexuels. Les maisons de prostitution étaient gérées par les municipalités de manière tout à fait officielle et il ne se produisait pas particulièrement de violence.

✠ *Quelle était la nature du châtiment quand les criminels étaient pris ? Est-ce qu'il existait des réponses légales de la part de la société ?*

La brutalité, la sauvagerie de cette civilisation se révèlent dans la manière de punir les crimes. Le châtiment doit être spectaculaire. La peine de mort est en fait rarement appliquée, elle ne frappe qu'un petit nombre de délits. D'ordinaire, on s'arrange en payant des amendes. Mais quand elle est appliquée, c'est en public et avec déploiement ; il faut que le sang coule et que

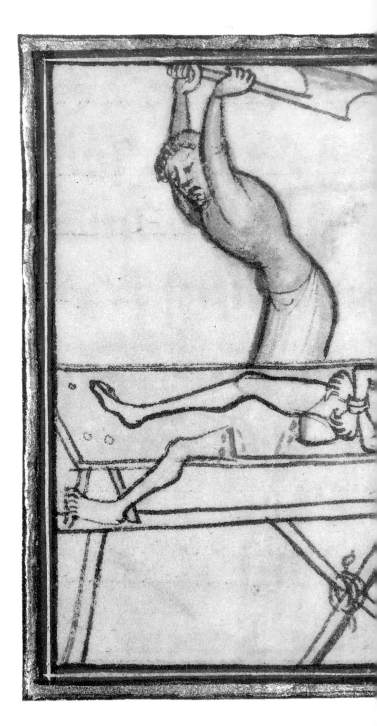

Torture et exécution de Simon Poulliet, maire de Compiègne, à Paris en 1346 sous le regard d'un groupe de prêtres.
Manuscrit 677, XIVᵉ siècle (f° 91 r°). Besançon, bibliothèque municipale.

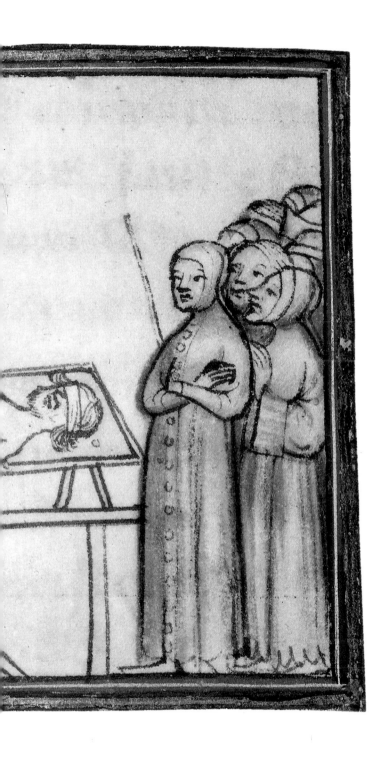

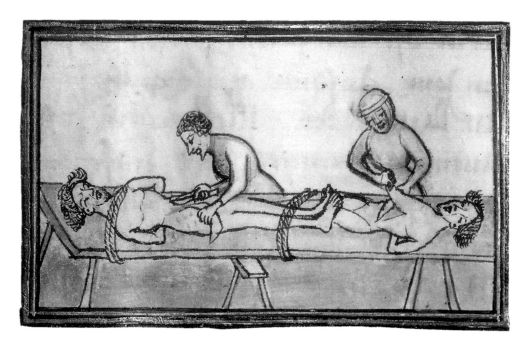

tout soit très cruellement visible. Mais on coupe plus volontiers la main du voleur, le sexe de celui qui en a abusé.

✠ *Ces villes comprenaient-elles des zones, par nature, plus dangereuses que d'autres ?*

Dans les grandes villes, sans doute. Mais on en sait trop peu pour distinguer les quartiers dangereux des autres. Des zones de paix existaient, la place du marché notamment, qui était particulièrement surveillée, parce qu'il y avait là de l'argent, des choses tentantes, des étrangers, des occasions de bagarre entre l'acheteur et le vendeur. Il y avait aussi ces enclos autour des églises, signalés par des croix, dans lesquels toute violence était interdite. On les appelait « cimetières ». Ils n'étaient pas réservés aux morts. Les vivants s'y installaient et construisaient des maisons.

—❋—

Les châtiments voulaient être spectaculaires. En haut, des chevaliers ayant péché par adultère sont émasculés ; en bas, Enguerrand de Marigny est traîné par une cariole avant d'être pendu.
Manuscrit 677, XIVᵉ siècle (f° 91 r°). Besançon, bibliothèque municipale.

la peur de
l'au-delà

Au milieu du XIVe siècle,
la peste noire bouleverse
profondément l'attitude de
l'homme à l'égard de la mort.
De familière et normale,
la mort devient tragique,
omniprésente, objet
de crainte.
Heures de Rohan, XVe siècle
(manuscrit latin 9471, f° 159).
Paris, Bibliothèque nationale.

*Quand personne ne doute de l'existence
d'un au-delà, la mort est un passage qu'il
s'agit de célébrer en cérémonie entre parents
et voisins. L'homme du Moyen Âge possède
la certitude de ne pas disparaître
complètement en attendant la résurrection.
Car rien ne s'arrête et tout se poursuit
dans l'éternité. La perte contemporaine
du sentiment religieux a fait de la mort
une épreuve terrifiante, une bascule*

La bombe atomique a provoqué une nouvelle peur, celle d'un enchaînement de conflits conduisant à l'explosion brutale de l'univers.

dans les ténèbres et dans l'inconnaissable. La solidarité autour du passage de vie à trépas a disparu et, aujourd'hui, on se presse pour se débarrasser du cadavre. Plus que la mort, nos ancêtres redoutaient le jugement, le châtiment de l'au-delà et les tourments de l'enfer. Une peur de l'invisible toujours présente, bien implantée au tréfonds de l'homme d'aujourd'hui, qui vacille devant le sentiment d'impuissance face à son destin.

✠ *De quelles façons*
se manifeste la peur
de la mort autour
de l'an mil ?

Au Moyen Âge, toute la parenté
se réunit autour de celui qui va
mourir. Le médecin, les serviteurs,
les vassaux sont aussi présents.
Le mourant dicte son testament.
En médaillon, la veuve.
Manuscrit latin,
Justiniani in fortiatum,
XIVe siècle (f° 56 r°).
Espagne,
bibliothèque de l'Escorial.

J e me demande si les hommes de ce temps-
là avaient aussi peur de la mort que nous.
Aucun d'eux, alors, ne doute qu'il y a dans
l'univers une partie invisible, inconnaissable, et
qu'entre elle et le monde ici-bas la frontière
n'est pas infranchissable. La vie se prolonge
après la mort et les morts sont toujours présents,
notamment au cours de cérémonies dans lesquelles ils sont associés aux vivants. Ils sont évo-
qués constamment dans les lieux de prière par
ces communautés monastiques dont l'une des
fonctions est précisément de servir les morts,
d'aider les âmes à s'en tirer dans cette étendue
qu'on imagine, dont on ne sait pas très bien ce
qu'elle est, mais qui est là et nous attend.

La mort est un passage, et ce passage s'opère en
cérémonies. Et c'est là que je vois une différence
très profonde avec notre culture. Pour nous, la
mort est une chose gênante : il faut se débarrasser au plus vite du cadavre. Le transfert vers
les lieux de sépulture s'opère à la sauvette. Au
Moyen Âge, au contraire, toute la famille, la
maisonnée, les serviteurs, les vassaux, tout le
monde se réunit autour de celui qui va mourir.
Le mourant doit faire un certain nombre de
gestes, se dépouiller, distribuer entre ceux qu'il
aime tous les objets qui lui ont appartenu. Il
doit aussi témoigner de ses dernières volontés,
exhorter ceux qui survivent à se conduire
mieux, et évidemment subir tous les rites qui
l'aideront à occuper dans l'au-delà une situation

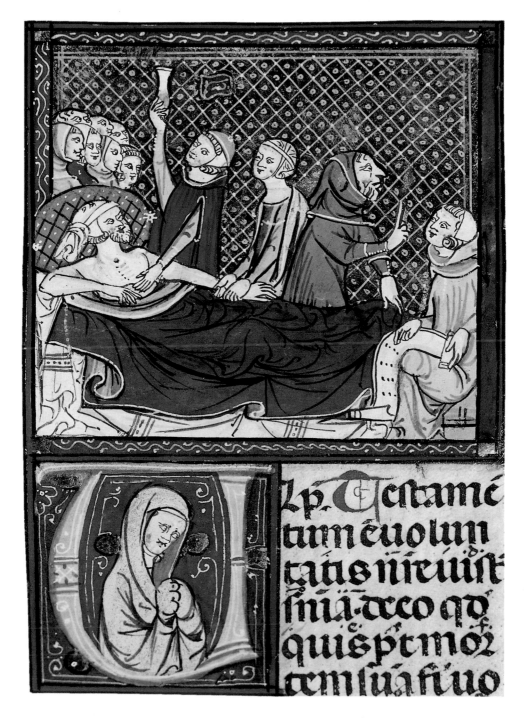

qui ne soit pas trop désagréable. Le corps du défunt est ensuite l'objet de soins très attentifs. On l'expose quelque temps sur un lit de parade que l'on transporte ensuite dans l'église. Et, à l'intérieur même de l'église, pendant la veillée funèbre, se déroule un dernier rite, à mon avis tout à fait expressif de la solidarité qui unit à ce moment-là les vivants et les morts : un banquet. Tous les gens de la famille et du pays sont invités à se réunir autour d'une table que préside celui dont l'âme est partie ailleurs. Les pauvres des environs sont rassemblés et on leur sert à manger ; ils bénéficient une dernière fois de la générosité du mort.

✠ *Vous semblez presque regretter cette approche de la mort…*

Je la regrette, c'est vrai. Je pense que la mort devenait sans doute moins terrifiante par la certitude que l'on avait de ne pas disparaître complètement, par l'assurance qu'on avait de survivre sinon corporellement, du moins sous une autre forme en attendant la résurrection des morts. Avec tout ce cérémonial, la mort n'était pas cette sorte de bascule dans les ténèbres et dans l'inconnaissable qu'elle est aujourd'hui pour beaucoup d'entre nous.

Les défunts des familles riches étaient ensevelis à l'intérieur des églises, les pauvres dans des charniers.
L'office des morts *in Heures de Rohan*, **xve siècle (manuscrit latin 9471, f° 196 et 182). Paris, Bibliothèque nationale.**

✠ *À quoi attribuez-vous cette approche si différente ? Est-elle due à la perte d'un certain sentiment religieux, à la conséquence du progrès technique ou à une meilleure connaissance de la biologie ?*

Je pense que deux facteurs interviennent. Le facteur principal, évidemment, ce sont les croyances. Personne ne mettait en doute l'existence d'un au-delà. Chacun était alors persuadé que rien ne s'arrêtait, que tout se poursuivait et se poursuivrait dans l'éternité. Et le second facteur, c'est – encore une fois – la solidarité. Celle des parents et des voisins, qui enfermait l'individu dans une chappe parfois insupportable mais qui l'aidait à traverser les vicissitudes de la vie et surtout cette épreuve fondamentale qu'est le passage de vie à trépas.

✠ *À l'heure actuelle, on perçoit une peur un peu diffuse sur le devenir de l'humanité, peur qui se reflète dans la fréquentation de voyants, de mages. Existait-elle déjà au Moyen Âge ?*

Il existait une attente, celle de la fin des temps. Un jour viendra qui sera le dernier. Ensuite se produira le passage dans un monde impensable, celui de l'éternel et de l'infini. Mais ce que redoutaient, je pense, davantage les hommes de ce temps-là, c'était le jugement, le châtiment dans l'au-delà. Il n'y a qu'à regarder autour de soi dans ce qui reste de l'art médiéval pour être frappé de la place occupée par les représentations des tourments de l'enfer.

✠ *Comment les hommes au Moyen Âge se représentaient-ils l'enfer ?*

Quantité d'images – et l'on en voit encore sculptées ou peintes sur les murs des églises – rappelaient obstinément la présence de l'enfer. Elles le montraient sous l'aspect d'une gueule monstrueuse largement ouverte, engloutissant

Empire souterrain dont la gueule s'ouvre pour dévorer les damnés, la vision de l'enfer entretient la peur d'être souillé. Un sentiment d'effroi partagé par tous et qui attise les images de flammes, de monstres, et de tortionnaires. *Apocalypse*, école du Nord. Cambrai, bibliothèque municipale.

les damnés. À l'intérieur de ce ventre obscur, des flammes et des démons tourmentaient le corps des réprouvés avec toutes sortes d'instruments de torture. Une accumulation de douleurs physiques, semblables à celles que l'on infligeait aux coupables de crimes très graves.

✠ *L'enfer devenait-il quasiment familier à force de représentations ? Était-il plus inquiétant par son omniprésence ou l'est-il plus aujourd'hui par son « occultation » ?*

Image obsédante, accablante, l'enfer était présent en permanence à tous les esprits. C'était peut-être le germe le plus virulent de la peur qui tenaillait les gens de cette époque. Ils se sentaient menacés de péchés, donc d'être punis, et tentaient d'échapper à la damnation par tous les moyens, prières, pénitences, talismans. Le reflux aujourd'hui des croyances en des peines éternelles promises par un Dieu vengeur à ceux qui lui désobéissaient, je le vois comme une libération. Encore que, dans notre temps aussi, quel que soit le progrès des connaissances, j'ai le sentiment que beaucoup de gens croient encore aux forces démoniaques, même parmi les intellectuels. Les gens restent moins armés qu'on ne le pense contre cette inquiétude.

✠ *Comment cette croyance se manifeste-t-elle, selon vous ?*

Par le succès extraordinaire remporté dans notre société par les charlatans qui vendent toutes sortes de talismans pour essayer de vaincre l'adversité, de prévoir l'avenir, de se défendre contre les forces mauvaises. Le succès de ceux qui proposent de vous guérir, des maladies du corps ou de celles de l'âme, me fait penser que la peur de l'invisible reste assez profondément implantée dans nos tripes.

✠ *Elle transcende le progrès scientifique…*

Oui, je pense, parce qu'à mesure que la connaissance s'étend, nous prenons de plus en

Pour calmer la peur terrifiante de l'enfer, on inventa, à la fin du XIIe siècle, le purgatoire. En ce lieu de tourments la solidarité subsiste entre les vivants et les morts. Elle soutient l'espoir d'échapper à la damnation éternelle.
Psalterium liturgicum, XIIIe siècle (manuscrit 10/1453, f° 110). Chantilly, musée Condé.

plus conscience qu'il existe des choses inconnaissables. Beaucoup des maladies de l'âme viennent certainement de ce sentiment d'impuissance des hommes face à leur destin. Il y avait jadis des thérapeutiques bien appropriées

Image d'espoir, la représentation de l'arche de Noé affirme que, par la grâce divine, tout homme de bonne volonté peut échapper au châtiment universel.
Beatus de Liebana, *Commentaire de l'Apocalypse*, 975. Gérone, cathédrale.

pour rassurer. Le rite chrétien de la confession et de la pénitence, c'est-à-dire un ensemble de gestes destinés à laver le pécheur de ses fautes, jouait un rôle au moins équivalent à celui qu'a tenté de jouer un moment dans notre société la psychanalyse. Ce rite atténuait la peur de l'enfer, d'autant plus grande que pendant longtemps il n'y avait pas d'autre choix. Il y avait l'enfer et le paradis. C'était tellement inquiétant que la société a inventé le purgatoire. Jacques Le Goff a raconté l'histoire de cette invention liée au développement du commerce et de la comptabilité. C'est à la fin du XIIe siècle, au moment où commence le temps des marchands, que germe l'idée d'une espèce de marché entre le Tout-Puissant et les hommes : tous les bénéfices des bonnes actions des vivants peuvent être virés sur le compte du défunt afin de l'aider à se délivrer de sa culpabilité. Nous retrouvons, là encore, ce qu'il y a de consolant dans les solidarités, puisque ceux qui restaient sur terre étaient capables, par leurs bonnes œuvres et leurs prières, d'aider les âmes du purgatoire à raccourcir le temps où elles devaient se purger de ce qui les souillait.

✠ *Le développement des sectes religieuses préoccupe beaucoup aujourd'hui. Existaient-elles dans une société comme celle du Moyen Âge ?*

Le Moyen Âge a été le lieu d'un fourmillement d'hérésies à l'intérieur d'un système homogène qui était le christianisme. L'Église s'est préoccupée de détruire ces déviations, et violemment. Elle a lancé une croisade contre les Albigeois. Ce qui se produisait surtout, c'étaient des mouvements de résistance ou de révolte à l'égard de l'institution ecclésiastique. Et c'est en cela que les hérésies, qui étaient présentées sous un aspect tout à fait négatif, sont elles aussi un signe de la vitalité de cette époque, où fermentait, irrépressible, la liberté de penser.

134

✠ *Disparition des espèces, dégradation de l'environnement, nos peurs sont-elles plus aiguës que celles du Moyen Âge ?*

Oui, c'est là où la différence, à mon avis, est la plus nette. La question de l'écologie, évidemment, ne se posait pas dans un univers où la puissance de la nature était au contraire terrifiante. Les hommes ne se posaient pas non plus la question de la disparition de l'espèce humaine. Ils étaient persuadés qu'elle allait se produire. Ils ne savaient pas quand, mais ils étaient sûrs qu'à un moment il n'y aurait plus d'hommes sur la Terre car ils seraient ailleurs, dans le ciel, dans l'enfer.

✠ *Les hommes de ce temps avaient-ils conscience des disparitions d'espèces ? Avaient-ils la moindre idée que les dinosaures avaient disparu ?*

Non, on savait qu'il y avait eu des civilisations antérieures qui étaient mortes. La civilisation romaine avait eu son éclat puis s'était effondrée. On le savait, car on en retrouvait des traces de créations admirables réduites à l'état de ruines. Le sentiment du dépérissement des choses existait. Les hommes avaient bien compris que les civilisations étaient mortelles, ce que nous avons redécouvert. Mais ils n'avaient pas du tout l'idée que des espèces animales avaient pu brusquement disparaître.

Pages précédentes.
L'enfournement des damnés dans la gueule du Léviathan figure l'ensemble des supplices, mais l'image peut être lue comme une critique sociale. Parmi les damnés figurent rois, clercs ou chevaliers. L'enfer apparaît alors comme l'instrument d'une justice immanente compensant les iniquités terrestres.
À gauche, le diable et son autel ; chapiteau du chœur.
À droite, un monstre avalant un homme.
Chauvigny, église Saint-Pierre, XIIe siècle.

Les hommes du Moyen Âge observaient les étoiles afin de connaître leur destin. Ici, en 1066, lors de la conquête de l'Angleterre par les Normands, une comète, peut-être celle de Halley. Tapisserie de la reine Mathilde, vers 1080. Bayeux, musée de la Tapisserie.

✠ *Et quand les hommes regardaient le ciel, que voyaient-ils ?*
Avaient-ils le sentiment d'être l'unique espèce humaine ?
Avaient-ils une conscience de l'ampleur de l'univers, de ses dangers éventuels ?

Ils étaient persuadés que la Terre était le centre de l'univers et que Dieu n'avait créé qu'un homme et une femme, Adam et Ève, et leurs descendants. Ils n'imaginaient pas qu'il y ait d'autres espaces habités. Ce qu'ils voyaient du ciel, le mouvement régulier des astres, était l'image de ce qu'il y avait de plus proche du plan divin d'organisation. Ce qui les terrifiait, c'était quand à l'intérieur de cet ordre parfait se produisaient des accidents. Une comète, par exemple, ou une éclipse un peu prolongée, des pluies de sang comme on croyait en voir tomber quelquefois lorsque le sable du Sahara était emporté par des vents violents jusque sur le continent européen étaient pour eux la preuve que le Ciel était mécontent, que quelque chose s'annonçait, ou bien une invite à être plus respectueux des ordres divins.

✠ *Cette peur vis-à-vis des catastrophes naturelles semble se retrouver aujourd'hui…*

De temps en temps, une catastrophe nous rappelle que l'homme, dans toute la puissance qu'il a gagnée par le développement des sciences et des techniques, reste pourtant impuissant devant les forces de la nature.

✠ *Les hommes de cette époque cherchaient-ils à connaître l'avenir ?*

Oui, bien sûr. L'astrologie jouait un rôle considérable dans cette société et elle était liée de très près aux progrès de l'astronomie. Si l'on a tellement observé les étoiles, si les savants de l'université de Paris, au milieu du XIIIe siècle, avaient une telle connaissance des lois du monde qu'ils étaient parvenus à calculer la longueur du méridien terrestre avec une exactitude presque parfaite, c'est parce qu'il s'agissait de repérer les planètes sous lesquelles tel individu était né, de manière à faire un horoscope, à prédire l'avenir. Et, là encore, croyez-vous que de notre temps nous sommes complètement délivrés des super-

Le thème de la danse macabre enseigne que tous les humains quelle que soit leur position sociale sont inexorablement entraînés vers le même funèbre destin.
Manuscrit de Vérard.
Paris, Bibliothèque nationale.

Mortale e dominus cūctos ī luce creauit Ut capiāt meritis
gaudia sūma poſi. Felix ille quid qui mēte ingiter ſcele ris que
rigit atqz Vigil noxia queqz cauet Nec tñ infelix ſceleris que
peitet acti Quiqz ſuū facin̄ꝑꝑagere ſepe ſolet Sz Viuūt hoī
nes tā̄q̄ moꝛs nulla ſequat̄. Et Beſud iſern̄ꝰ fabula Vana fo
ret. Et ū doceat ſeſus Viuētes moꝛte reſolui Atqz hebꝛet pꝛeas
pagia ſacra pꝛobet. Quas q̄ nō metuit iſtfelix pꝛ, Set amēs. Vi
uit: et extict̄ꝰ ſētiet ille rogū Sic igitur cūcti ſapientes Viuere
certēt Ut nichil inferni ſit metuēda palus

stitions ? Il n'y a qu'à se pencher un peu vers les profondeurs de la conscience pour découvrir des attitudes qui sont très proches de celles de nos lointains ancêtres.

✠ *La crainte de la fin du monde, si présente au Moyen Âge, a-t-elle traversé les siècles ?*

C'est quelque chose qui perdure. Ma mère, par exemple, n'était pas persuadée que la fin du monde n'allait pas arriver bientôt. Nous vivons encore portés par tout ce que nos ancêtres très lointains ont fait et pensé. Si l'on fouillait les consciences de nos contemporains, on trouverait beaucoup de gens qui nourrissent toujours l'idée que l'histoire humaine peut s'interrompre brusquement. Je me souviens des premiers essais atomiques, les gens se demandaient si cela n'allait pas déclencher des réactions en chaîne et faire éclater l'univers. Quand on entend dire aujourd'hui que la croissance démographique est telle que, dans quelques décennies, la Terre ne pourra plus nourrir les hommes, beaucoup se demandent ce qu'il adviendra de l'espèce humaine. Quand on sait que les dinosaures ont disparu si soudainement qu'on retrouve encore des œufs qui n'ont pas éclos, cela conduit à imaginer que, par tel ou tel mécanisme, par une défaillance totale des défenses immunitaires, par exemple, l'espèce humaine peut, elle aussi, disparaître.

✠ *Aujourd'hui,
est-ce que vous voyez les
ferments d'un renouveau
spirituel ?*

Ce que je vois surtout, c'est que le matérialisme ne satisfait pas l'immense majorité des gens. Ils sont en quête de quelque chose de plus.

« En ce temps-là les hommes chercheront la mort et ils ne la trouveront pas. Ils souhaiteront la mort et la mort fuira loin d'eux. »
Apocalypse, IX, 6.
Satan et les anges déchus fait s'abattre sur la terre des sauterelles.
Beatus de Liebana,
la 5e trompette dans l'Apocalypse de Saint-Sever, XIᵉ siècle
(manuscrit latin 8878, f° 145 v°).
Paris, Bibliothèque nationale.

Crédits Photographiques

En couverture : *en haut*, Albrecht Dürer,
Portrait de Hieronymus Holzschüher, 1526
(une représentation tardive choisie pour
l'expressivité du regard). Staatliche Museen zu
Berlin-Preußischer Kulturbesitz Gemäldegalerie.
Jörg P. Anders / Bildarchiv, Berlin ;
en bas, Eugene Richards / Magnum, Paris.
Page 12 : *Giraudon, Paris.*
Page 19 : *Oronoz, Madrid.*
Page 24 : *Dagli Orti, Paris.*
Page 25 : *Richard Kalvan / Magnum, Paris.*
Page 27 : *Bibliothèque nationale de France, Paris.*
Page 32 : *British Library, Londres.*
Page 34-35 : *Dagli Orti, Paris.*
Page 37 : *Dagli Orti, Paris.*
Page 39 : *Bibliothèque nationale de France, Paris.*
Page 41 : *Dagli Orti, Paris.*
Page 42 : *Dagli Orti, Paris.*
Page 45 : *British Library, Londres.*
Page 47 : *Dagli Orti, Paris.*
Page 50 : *Stadtarchiv, Nördlingen.*
Page 51 : *Josef Koudelka / Magnum, Paris.*
Page 53 : *Dagli Orti, Paris.*
Page 54-55 : *Dagli Orti, Paris.*
Page 57 : *Dagli Orti, Paris.*
Page 59 : *Dagli Orti, Paris.*
Page 61 : *Dagli Orti, Paris.*
Page 62-63 : *Dagli Orti, Paris.*
Page 65 : *Dagli Orti, Paris.*
Page 66 : *Dagli Orti, Paris.*
Page 69 : *Dagli Orti, Paris.*
Page 71 : *Dagli Orti, Paris.*
Page 73 : *Bibliothèque nationale de France, Paris.*
Page 75 : *Dagli Orti, Paris.*

Page 78 : *D.R.*
Page 79 : *Mathias Lacombe / Sygma, Paris.*
Page 82-83 : *Paul Laes, Louvain.*
Page 84 : *Giraudon, Paris.*
Page 85 : *Jean-Loup Charmet, Paris.*
Page 87 : *D.R.*
Page 88 : *D.R.*
Page 92-93 : *The Metropolitan Museum of Art,
The Cloisters Museum, New York.*
Page 94 et 95 : *Lauros-Giraudon, Paris.*
Page 98 : *Dagli Orti, Paris.*
Page 99 : *Josef Koudelka / Magnum, Paris.*
Page 101 : *Bibliothèque nationale de France, Paris.*
Page 103 : *Dagli Orti, Paris.*
Page 106-107 : *Dagli Orti, Paris.*
Page 109 : *Hervé Champollion / Agence Top, Paris.*
Page 110 : *Dagli Orti, Paris.*
Page 113 : *Giraudon, Paris.*
Page 114 : *Oronoz, Madrid.*
Page 116-117 : *Erich Lessing / Magnum, Paris.*
Page 118 : *Erich Lessing / Magnum, Paris.*
Page 122 : *Bibliothèque nationale de France, Paris.*
Page 123 : *Jean Gaumy / Magnum, Paris.*
Page 125 : *Dagli Orti, Paris.*
Page 126 : *à gauche et à droite,
Bibliothèque nationale de France, Paris.*
Page 129 : *Giraudon, Paris.*
Page 131 : *Giraudon, Paris.*
Page 132 : *Oronoz, Madrid.*
Page 134 : *Dagli Orti, Paris.*
Page 135 : *Dagli Orti, Paris.*
Page 137 : *Erich Lessing / Magnum, Paris.*
Page 139 : *Bibliothèque nationale de France, Paris.*
Page 141 : *Bibliothèque nationale de France, Paris.*

Achevé d'imprimer en avril 1995
sur les presses de Grafedit à Bergame.
Imprimé en Italie.
Dépôt légal : avril 1995